말의 기억

pasonmoson

광주일상어 인문교양 에세이2

말의 기억

사투리는 지역의 정체성을 가장 잘 표현한다. 태고 시대부터 자연스럽게 형성된 집단과 지역에서 만들어진 자연어이기 때문이다. 그런데 대중이 가장 쉽게 접하는 미디어에서 전라도말을 살펴보면 TV는 촌스럽고 투박하게, 영화는 우악스럽게 표현하고 있어 마치 일상에서 전라도말은 사용하면 안 될 것만 같다.

2021년 광주문화재단과 전남대학교 한국어문학연구소는 '표준말'에 짓눌려 홀대받아온 우리의 지역말을 새롭게 탐색하고 그 뿌리와 의미를 거슬러 찾아가보는 작업을 시작했다. 우리가 발 딛고 사는 광주의 일상어 즉, '무등골 사람들이 쓰는 전라도말'을 요모조모 뜯어보고 낱낱의 말속에 담긴 감성을 찾아내 광주일상어 인문교양 에세이 1편 '말의 자리'를 펴냈다.

'말의 자리' 필자인 손희하 교수는 "방언, 사투리는 미처 표준어가 되지 못한 말이지 표준어에 비하여 격이 떨어지는 말이 아니"라면서 "(방언, 사투리를) 사전에 등재해 우리말을 더욱 다양하고 풍요롭게 해야 할 것" 이라고 밝혔다. 방언이 사라지기 전에 이의 문화적 가치를 제대로 인식하고 수집 조사하여 보존해야 하는 이유에 대해서도 "말은 한번 죽어버리면 다시 살려 쓰기 어려운 것이기 때문이다."고 설명했다.

이번 광주일상어 인문교양 에세이 2편 '말의 기억'에는 17명의 필진이 함께 했다. "그랑께, 내 말이…" 광주말풀이를 시작으로 광주 지역어의 형성, 시비로 만나는 광주 이야기, 시와 소설, 노랫말에서 읽을 수 있는 광주 등 17가지 이야기는 광주일상어에 대한 더욱 다채롭고 풍부한 재미를 드릴 것이다. 학문적 형식과 전형적인 사투리 어휘에 얽매이지 않고 우리 지역 일상에서 사용되는 모습 그대로를 담은 만큼 독자들에게 광주어와 함께한 추억과 정서가 공감되고 공유되기를 바란다.

에세이 발간에 참여해 주신 열일곱 분의 필진께 감사의 말씀을 전한다. 광주문화재단은 앞으로도 우리 지역의 문화정체성을 탐구·정리하고 시민들과 폭넓게 공유하는 다양한 사업에도 계속 힘쓸 것을 약속드린다.

2023년 12월
재단법인 광주광역시 광주문화재단

그렇게, 내 말이…[1]

조경순

1
이 글은 전남대 호남학연구원
'호남학' 72집에 실린 '광주
지역어 '그러―' 계열 어휘에
대한 의미론적 연구'를 쉽게
읽을 수 있도록 수정한 글이다.

"민지랑 안 친해서 그러제 좀 친해지면 겁나 재밌는 친구야."

"아니, 그래도 말을 좀 친절하게 하면 어디 덧나냐?"

"그렁께, 내 말이…"

같은 반 친구가 퉁명스럽게 굴어서 원래 그런지 궁금해 다른 친구에게 물어보았을 때 서로 나누었을 만한 대화이다. 대화에서 '그러제, 그래도, 그렁께'는 같은 말(어기)을 공유하고 있는 단어들이다. 표준어에서 '그러-' 계열 어휘에 해당하는 용언 '그러하다' 등은 앞에 나온 말을 대신하고, 접속사 '그러니까' 등은 문장을 연결하고, 감탄사 '그러게, 그래'는 상대방 말을 받아들이는 투의 응답으로 쓰인다. 그러나 국립국어원 우리말샘에 "'그러니까'의 경기, 전남 방언"으로 풀이가 되어 있는 광주 지역어 '그렁께, 긍께' 등은 '그러니까'의 접속 부사 기능인 이유나 근거로만 보기 어려운 경우가 있으며 표준어 '그러게, 그래'에 대응할 때도 감탄사 기능으로 한정하기에는 어려운 경우를 발견할 수 있다.

지역어는 지역 공동체의 구성원이 소통하는 매개체로 지역의 문화와 정서를 반영하는데 광주 지역어에서 '그러-'가 포함된 어휘를 광주를 대표하는 어휘 중 하나로 볼 수 있다.[2] 광주 지역어에서 '그러제, 그니까, 긍께' 등의 어휘들을 '그러-' 계열 어휘로 묶을 수 있는데, 이 어휘들은 다른 말을 대신하거나 문장을 서로 이어 주는 접속 기능뿐만 아니라 다양한 기능으로 쓰이며

2
지역에서 사용되는 말을 방언, 사투리, 지방어 등으로 불렸으나 이 글에서는 표준어나 중앙어와의 위계적 차원에서 바라보지 않고 지리적 경계뿐만 아니라 다양한 계층과 지리적 층위를 유연하게 사용하기 위해 '지역어'라는 용어를 사용하고자 한다. '광주 지역어'의 정확한 명칭은 '광주광역시 지역어'라고 해야 하나 편의상 '광주 지역어'로 사용한다.

광주 사람들이 어떻게 말하는지를 보여준다. 특히, 광주 지역어에서 '그러-' 계열에 포함되는 어휘들은 서술어, 부사어, 관형어, 감탄사 등 다양한 언어 형식으로 쓰이면서 화자와 청자가 담화 속에서 공감대를 형성하는 중요한 구실을 한다. 또한, 담화와 담화를 이어주고 대화 구성원이 대화에 집중하는 효과도 가지고 있다. 이 글에서는 광주 시민들이 사용하는 '그러-' 계열 어휘들이 사전 풀이와 달리 실제 어떻게 쓰이는지 살펴보고 '그제, 긍께'에 담겨 있는 의미를 알아보고자 한다.

광주 지역어의 '그러-' 계열 어휘는 표준어와 같은 형태로만 쓰이는 것이 아니라 다양한 형태로 쓰이며 사전에 등재된 의미나 기존 연구에서 제시된 의미 이외에도 다양한 의미 양상이 나타난다. 먼저, 표준국어대사전에 실려 있는 '그러-'가 어기로 쓰인 주요 어휘는 다음과 같다.

(1)

어기 '그러-' 포함 사전 등재 어휘

그러게 자신의 말이 옳았음을 강조할 때 쓰는 말

그러-구러 그럭저럭 일이 진행되는 모양

그러그러다 다 그렇게 하거나 잇따라 그렇게 하다

그러나-저러나 그것은 그렇다 치고. 지금까지의 화제를 다른 데로 돌릴 때 쓴다

그러니까 앞의 내용이 뒤의 내용의 이유나 근거 따위가 될 때 쓰는 접속 부사

그러저러다 그렇게 하기도 하고 저렇게 하기도 하다.

그러저러—하다 그러하고 저러하다.

그러—하다 상태, 모양, 성질 따위가 그와 같다.

표준어에서 '그러—' 계열 어휘들은 실질적 의미가
없고 앞에 나오는 단어나 구 등을 대신하여 쓰이는
경우가 대부분이다. 역시 광주 지역어에서도 '그러—'
계열 어휘는 앞에 나온 말 대신에 쓰이는 기능이나
감탄사로서 상대방 말에 응대하는 기능으로 쓰인다.

(2)

가. 땡으로 줘 부써. 천 원 이천 원 땡으로 줘 불고,
에이 안 되겄다 속상해서 우리 가게 주인 아저씨가
그러지 말고 솜씨 좋응께 우리 이 층에다가 식당을 해
보라 싸.

나. 조사자 : 그때부터 쭉 광주에 사셨어요.

제보자 : 그러죠.

(3)

가. 우리가 제일 정 많잖아. 자 보면 이 타지에서 누가
내려오잖아. 전라도 사람만 집을 잡아주고 밥을 사주고
그래. 잠자리를 제공한단 말여.

나. 나는 그러네. 인자 시장에 오신 분들은 쫌 싸게도
사고 허지마는 너무 욕심부리는 손님들은 그러냐고 딴
데 가 물어보고 사라고 그런 말도 허고.

다. 으응, 그래. 많이 벌었지. 돈을 많이 벌었어요.
까먹어서 그러제.

(2가)에서 "그러지 말고"에서 "그러지"는 선행하는
"땡으로 줘부써"를 가리키며, (2나)에서 "그러죠"는 앞
말에 수긍하는 응대 기능을 수행한다. 예문 (2가, 2나)
에 쓰인 '그러–' 계열 어휘는 표준어에서의 쓰임과 크게
다르지 않다.[3]

그러나 (3가)에서 "그래"는 감탄사나 대신하는 기능
보다 보조용언과 같은 기능을 한다. "전라도 사람만
집을 잡아주고 밥을 사주었어."로 문장을 사용할 수
있으나 "그래"를 덧붙여 특정한 의미를 더하는데, 이때
"그래"는 앞에 나오는 말을 대신하여 쓰었다고 보기
어렵다. (3나)에서도 "그러네"에 대응하는 선행 어휘를
찾기 어렵다는 점에서 기존의 '그러–' 계열 어휘 기능과
다르다. 또, 보통 앞에 나오는 말을 대신 가리키는
것과 다르게 예문 (3나)의 '그러네'는 뒤에 나오는 담화
전체를 가리키며 대화에 참여한 사람이 화자가 언이어
말하는 내용에 집중하게 한다. 예문 (3다)는 "돈을 많이
벌었으나 이제 쓸데없이 다 써버렸다."라는 뜻 정도로
볼 수 있는데, 아래 (4)와 같이 바꾸어보면 '그러제'에서
특별한 기능을 찾을 수 있다.

3
광주 지역어 사용 예시는
표준어 형태로 바꾸지 않고
되도록 실제 발화에 충실하게
제시한다.

(4)

가. 돈을 많이 벌었어요. *그러나 까먹어서 그러제. /

*돈을 많이 벌었으나 까먹어서 그러제.[4]

　나. 돈을 많이 벌었어요. 그러나 까먹었어요./ 돈을
많이 벌었으나 까먹었어요.

예문 (4가)에서 "돈을 많이 벌었어요."와 "까먹어서
그러제."는 내용상 상반되지만 두 문장 사이에 역접의
접속어인 '그러나'나 연결어미 '-으나'를 집어넣으면
오히려 어색하다. 오히려 예문 (4나)에서처럼 '그러제'가
빠지면 역접의 '그러나'나 연결어미 '-으나'를 결합하는
것이 자연스럽다. 그러나 '그러제'가 사용되지 않은 예문
(4나)는 "돈을 많이 벌었다. 모두 탕진했다."라는 사실만
전달할 뿐 화자의 헛헛한 마음 상태는 잘 나타나지
않는다. 그렇다면 '(-어서) 그러제'가 대용의 기능만
수행하는 것이 아니라 화자의 체념이나 후회 등을
나타낸다고 할 수 있다.

이제 광주 시민이 말한 것을 생생하게 채록한 광주
지역어에서 '그러-' 계열 어휘가 사용된 양상을 통해
의미를 살펴보도록 하자.[5]

(5)

광주 지역어 말뭉치에서 '그러-' 계열 어휘[6]

고러고, 고러니까, 고로고, 고로허고, 그걸, 그니까,
그라고, 그라면, 그라믄, 그라제, 그라지, 그란디, 그랑께,
그래, 그래 가지고, 그래 갖고, 그래도, 그래서, 그래야,
그래요, 그랬고, 그랬는데, 그랬다니까, 그랬어, 그랬제,

그랬죠, 그러거든, 그러게, 그러고, 그러고는, 그러나,
그러냐, 그러냐고, 그러냐면, 그러네, 그러는데, 그러니,
그러니까, 그러니께, 그러다가, 그러더라, 그러더라고,
그러더만, 그러드만, 그러면, 그러면 그러제, 그러면서,
그러믄, 그러요, 그러자, 그러잖아요, 그러제, 그러죠,
그러지, 그러지만, 그렁께, 그런다, 그렇제, 그렇죠,
그렇지, 그려, 그르면, 그르케, 그리고, 그먼, 그므는,
그믄, 근다해서, 글고, 글다 보믄, 글다 본께, 글도,
글드만, 글면, 글믄, 글안하믄, 글잖아 등

 '그러-' 계열 어휘들의 전형적 기능은 다양한
어미와 결합하여 앞에 나온 어휘를 가리키는데 광주
지역어에서도 그러한 기능을 찾을 수 있다. 광주
지역어에서 '그러-' 계열 어휘는 특정 언어 형식에만
한정하지 않고 다양한 범위를 가리키며 보통은 앞에
나온 말을 대신하지만 때때로 뒤에 나오는 것을
가리키는 것도 있다.

 (6)
 가. 에, 내가 삼 원짜리 국수 한 그릇을 못 사 묵고
내가 그러고 끗고 다님서 장사 하룻내 하고, 인자 저녁
때 인자 열무 한두 다발 남으믄 갖고 들어오믄 인자
식구들이 내가 들와서…
 나. 진짜 잘 먹고 간다고, 그런 사람들. 그게 제일
고마워요. 에, 지금도 그래요, 지금도.

예문 (6가)에서 "그러고"가 가리키는 것은 앞에 나온 "삼 원짜리 국수 한 그릇을 못 사 묵고"로 보인다. 이에 비해, 예문 (6나)에서 "그래요"는 앞에 나온 "고마워요"나 "그게 제일 고마워요"로 볼 수도 있으나 오히려 그 사람들이 진짜 잘 먹고 간다고 말하는데 그게 여전히 제일 고마운 일이라는 대화 전체를 가리키는 것으로 보인다. 이렇게 가리키는 부분이 한 단어나 짧은 구에 제한되지 않고 다양한 언어 형식을 가리킬 수 있다.

(7)

가. 치료도 허고 멋도 해. 으사도 그래. 강하고 담대함이 자기 안에 탁 있으믄 배가 탁 갈른단 말이야.

나. 나는 그러네. 인자 시장에 오신 분들은 쫌 싸게도 사고 허지마는 너무 욕심부리는 손님들은 그러냐고 딴 데 가 물어보고 사라고 그런 말도 허고.

다. 겨울에가 제일 많고 이, 지금 어뜨게 생각하면 우리나라 사계절인데 봄이, 봄이 두 달. 우리 장사하는, 가을 두 달. 여름이 네 달, 겨울이 네 달 그래요. 안전히 여름하고 겨울이 길어.

그런데 예문 (7가)에서 "그래"는 "치료도 허고 멋도 해" 전체를 가리킨다고 볼 수 있으나, 실제 사용된 상황을 보면 오히려 뒤에 나오는 내용인 "강하고 담대함이 자기 안에 탁 있으믄 배가 탁 갈른다."를 가리키는 것으로 보인다. 예문 (7나)에서도 "그러네"는 "너무 욕심부리는

손님들은 그러냐고 딴 데 가 물어보고 사라고 그런 말도
허고" 부분을 가리킨다. 뒤에 나오는 것을 가리키는 것이
특이한데, 일반적으로 가리키는 용법 즉 대용은 앞에
나오는 것을 대신하여 쓰이지만 광주 지역어에서 '그래,
그러네' 등은 뒤에 나오는 것을 가리킬 수 있다. 뒤에
나오는 것을 가리키는 '그러–'는 '무엇이 그렇다는 것이지?'
라는 생각을 청자에게 들게 하면서 청자가 뒤에 나오는
말에 집중하게 만드는 효과가 있다. 예문 (7다)에서
'그래요'는 특별히 가리키는 어구가 없다. "봄이 두 달.
가을이 두 달. 여름이 네 달. 겨울이 네 달."로 서술어
없이 명사로 종결되는 문장에 "그래요"가 결합하여
"여름하고 겨울이 길어"를 가리키며 "그래요" 뒤에 이어
지는 문장에 청자가 주목하게 하는 효과가 발생한다.

　광주 지역어 말뭉치에서 대답으로 쓰이는 '그래'는
청자의 주장이나 의견 등을 받아들이는 즉 수용의
의미를 나타낸다.

　(8)

　가. 조사자 : 그니까 작업하시는 게 시간도 더 많이
걸리고.

　제보자 : 그래요. 시간이 많이 걸려요. 그니까 시간을
많이 주잖아요. 오늘도 아침에 이불 갖고 온닥 한디.
열한 시로 미뤄 났어요. 열한 시에 오시라고.

　나. 조사자 : 시장은 곧 명절 되면 대목이죠?

　제보자 : 으응, 그러제.

예문 (8)과 같이 광주 지역어 말뭉치에서 "그래요, 그러제, 그러죠" 등과 같이 형태적으로 표준어와 동일한 '그래' 형도 쓰이지만 "그러제, 그라제, 긍께" 등 광주 지역어의 형태적 특색을 보이는 어휘도 많이 나타난다.

광주 지역어 말뭉치에서 '그니까'는 대화의 화제를 바꿀 때 쓰일 수 있는데 이때 문장 앞부분에 고정되어 있지 않고 문장 가운데나 문장 끝에서도 나타난다.

(9)

가. 그니까 이제 옷감은 비싼데, 어떤 사람이 크다 해서 쪼까 더 해 줘 분다든가 마후라 한나 더 해 줘 버리면 그 뒤 옷이 안 나와 버려.

나. 천문동이 제가 알기로는 어 숨가쁘신 분들 가장 쉬운 말로 숨이 그니까 폐 쪽으로 약간에 쫌 문제가 있으신 분들이죠.

다. 대신 인자 편한 만큼 우리가 밑에서 그니까 예를 들어서 당귀라는 약초가 재배 과정에서 어떻게 재배가 돼 갖고 또 완성품으로 오는 데까지 과정을 잘 모르시는 분들이 많으세요.

예문 (9가)에서처럼 "그래, 그러나, 그랬어" 등 '그러-' 계열 어휘들은 감탄사나 문장부사로 쓰일 때 일반적으로 문장 앞에 위치하거나 종결어미와 결합하여 문장 끝에서 나타난다. 광주 지역어 말뭉치에서 '그니까'는 문장 중간에 나타나거나 '-고 그렇다' 형태의 보조용언으로 쓰이며 문장 끝에 나타나는 경우가 있다. 예문 (9나)에서 '그니까'가 "숨이 폐 쪽으로 문제가 있는 분"의 문장 중간에 들어가 쓰이고 있으며, 예문 (9다)에서 "우리가 밑에서"는 서술어가 없는 상태에서 다른 내용인 "당귀가 재배가 됐다."로 바뀔 때 '그니까'가 들어간 것을 볼 수 있다. '그러니까'는 일반적으로 접속부사로 문장과 문장을 연결해 주거나 감탄사로 쓰여 말을 시작하거나 시간을 벌 때 쓰이지만 예문 (9나, 9다)에서 "그니까"는 앞말을 가리키는 기능이 일부분 남아 있다는 점에서 특이하다.

또한, '그러-' 계열 어휘들은 화제를 강조하는 기능을 수행한다.

(10)

가. 근데 아들이 아들이 조금 욕심이 그 원자력 발전소, 수자원, 한국도로공사 세 가지 공부를 해 가지고 거기만 갈라고 그래. 많이 떨어졌어.

나. 아 그런게 긍께 내가 인제 여기에 사는 지는 여기 운영하고 여기 가게 사는 지는 한 사십 년 이렇게 살았고 군대 갔다 오니까 아 우리 집사람이 내가 군대를 좀 늦게 갔어요.

다. 사업을 허자. 사업을 허믄 긍께 지금은 인자 어깨를 같이 나누지. 고등학교 다닐 적이 산수동 이엠독서실이라고 있어.

라. 긍께 똑별난 게 없어. 긍께 그에 맞춰서 내가 내고 싶다 양파 껍질, 고것도 허고.

예문 (10가)에서 '그렇다(그래)'가 '-고'와 결합하여 '-고 하다'와 같은 기능을 수행하는데, 이때 '그렇다'는 화제를 강조하는 것으로 보인다. 예문 (10나, 다, 라)에서 밑줄 친 '긍께'는 '그러니까'로 교체가 가능하지만 '그러니까'의 감탄사 기능 즉 말을 시작할 때나 말의 중간에 생각할 시간을 벌기 위한 기능으로만 보기는 어렵다. 예문 (10가, 10나)에서 '긍께'는 절 사이에 위치 하였는데 화자의 느낌이나 시간 벌이 등을 드러내는 것으로 볼 수 있으며, '그러니까'는 앞 내용을 자세히 설명하거나 보충할 때 쓰이기도 한다.(예 : 다음 주 금요일, 그러니까 돌아오는 25일에 다시 모이도록 하겠습니다.)

그러나 예문 (10가)에서는 앞 내용이 없으며 예문 (10나) 에서는 내용이 바뀐다는 점에서 추가 설명이나 내용 보충 기능으로 보기는 어렵다. 그리고 '에이, 음, 어…'와 같은 간투사의 기능이 아예 없다고 보기 어렵지만 예문 (10다)에서 '긍께' 뒤에 이어지는 담화 내용이 화자가 시간을 벌어서 하는 말로 보기에는 어렵고 오히려 명확한 내용이 바로 제시되어 있다. 따라서, '긍께'는 뒤에 이어지는 화제에 청자가 집중하게 하는 역할을 수행하는 것으로 보인다.

또한, 광주 지역어 말뭉치에서 '그래'는 화자에게 집중하게 하는 담화 표지로 쓰일 수 있다.

(11)

코로나가 그래 일구 년이 머야 일 월 십구 일, 이십 일

날 시작이 됐는데 십구일 날 마치 왔다 갔었어요.
명절에 못 온다고. 아, 그랬는데 그날부터 해 갖고
통화만 허고 살어요.

예문 (11)에서 '그래'가 가리키는 부분을 찾기 어려우며
대화 전체로 확대해도 마찬가지이다. "코로나가 어찌한다/
어떠하다/무엇이다"의 서술어 부분에 '그래'라는 실제
의미를 가지고 있지 않은 어휘를 사용함으로써 청자가
계속 이어지는 화자의 발화에 집중하게 하는 효과를
만들어낸다.

다음으로 '그러–' 계열 어휘들은 '인자'와 결합하여
쓰이는 경우가 많다.

(12)

가. 억지로 퇴사시켜 벘어. 과장 우리 잘 설득 못했다고.
고로고 인자 한 번은 나도 한 번 짤릴 판인데,
사무실에서 전무님이 오시라고 헌다 해서 이상 쓰리바
찍찍 끗고 갔어 나는.

나. 그니까 인자 아까침에 손님들이 물어봤을 때 내가
설명해 줄 그 정도예요.

다. 글고 저저저 어머니도 줄라 하겄는가 자네
홀엄씨한테? 안 주재! 그라고 인자 지금은 사우도 일등
사우 사둔도 일등 사둔.

라. 아니 의자 앉어 의자. 그래 가지고 인자 그런
계기가 또 된 것은, 우리 어머님이 또 아들이 네이다

보니까 굉장히 막 거 사고칠까 봐 걱정을 많이 하셔서.

　마. 그래도 인자 저는 그래요. 내일 일은 사람이
모르고 살지만 그래도 아직 이 나이에 약을 안 먹고
사니 이것도 건강하지 않는가 너무 행복하다.

　바. 글고 인자 또 우리들은 대개 한 번 오신 손님들
인자 고정 고객들이 다 있어요 점포마다. 그러면은
머 물건을 팔기 위해서 오라는 게 아니라 더울 때는
오시면 요구르트 사 났다가 머 캔 사 났다가 드리고
겨울에는 뭐 저 생강차 겉은 거 꼭 드리고 있어요.

　예문 (12)와 같이 '인자'는 다양한 '그러–' 계열 어휘와
함께 쓰이지만, 앞에서 제시한 모든 '그러–' 계열 어휘와
쓰이는 것은 아니다. '인자'는 문장 앞이나 문장 가운데에
쓰이는 경우가 많고 문장 끝에 쓰이는 경우는 찾기
어렵다. '그러–' 계열과 '인자'는 단독적으로 쓰여도
문맥에 큰 지장은 없으나 함께 쓰여 새로운 화제를
열어갈 때 대화의 집중도를 높인다.

　광주 지역어 말뭉치에서 '그래'는 '가지고'와 결합하여
앞선 사태의 원인을 강조하는 기능을 수행한다.

(13)

　가. 그때는 양장점 옷을 사 입는 개념도 있는데
맞치는 개념이 더 마냈어. 그래 가지고 사람들이 많이
맞쳐 입었어.

　나. 아니요, 거기 조금 다니다가 인제 충장로가

이불집이 하나 또 있었어요. 그래 가지고 거기를 많이
충장로 거기를 많이 다녔죠.

　다. 그렇게 우리 또래나 친구들끼리 운동하고 뭐하는
사람들은 강했거든. 더 써 부러. 그래 갖고 딱 이렇게 봐
불면 아짐 이거 주쇼, 이제 아는 사람들은 좋은데 기분
나빠라 글면 딱 보면서 내 낯빠닥에 금갔소.

　라. 근디 인자 그때 시골 머, 바람이 불고 머더고
[뭣허고], 이게 합선이 되어 갖고 집이 전소가 되어
붓는갑더라고. 그래 갖고 옷을 사러 왔길래 내가 옷을
필요한 거 몇 개 줬지. 공짜로

　예문 (13)에서 '그러-'는 '-어 가지고'와 결합하여 앞에
나온 내용이 뒤에 이어지는 사태의 원인이나 근거일 때
쓰인다. 그런데 광주 지역어 '그래 가지고'에서 '그러-'는
대용의 기능을 수행하여 실질적 뜻이 없다는 점에서
실질적 어휘와 결합하는 '-어 가지고'의 보조동사 용법과
다르다. 특히, '그래 가지고'에서 '그래'는 앞 문장의 특정
단어만 가리키는 것이 아니라 전체를 가리킨다는 점에서
앞 문장의 사건이 완전히 끝났으며 앞 문장이 원인임을
강조하는 것으로 보인다. 이러한 점은 아래 예문 (14)와
같이 반복 구성으로 쓰이는 경우에서도 사태의 원인이
됨을 강조하는 것을 확인할 수 있다.

　(14)
　뭐 인자 돈 준다고 해 놓고. 뭐 적금 하나 넣어

주면은 급하면은 고놈 깨서 쓰자믄 안 돼요를 못
했어. 그믄 그래요 그러면 없어져 부러. 근데 나는 그
들어가는 돈으로 나를 위로 삼았거든.

예문 (14)에서 '그러-' 계열 어휘들인 '그믄', '그래요',
'그러면'이 나열되어 있다. 그러나 실질적 의미가 없는
다른 간투사와 달리 앞 문장과 이어주면서 무언가를
가리키는 기능을 수행하면서 뒤에 나오는 사태의
원인임을 강조한다.
'거시기'는 화자가 이름이 생각나지 않거나 말하기
곤란한 대상을 가리킬 때 사용하는 표준어로 호남
지역에서 활발히 쓰이며 지역적 특색을 드러내는 어휘로
쓰이기도 한다. 실제 대화에서 화자가 '거시기'를 사용할
때 청자는 '거시기'가 무엇을 가리키는 것인지 되묻기도
하지만 발화 상황이나 문맥을 통해 가리키는 대상을
추측하는 경우도 많다.

(15)
가. 또 손님들도 남자분들보다는 여성분이 더 많이
어 이렇게 거시기한 편이에요. 그니까 어머니분들도
오셔도 와서 이야기를 허고 저허고 오래 있는 저는
그냥 간단하게 딱딱 물건만 해 갖고 가져가시는데.
나. 자 일 넌이믄 다 거시기해서 자료 끊어 주고
자료이. 그것 받고 끊어 오고 그래 해. 지금은 옛날같이
장사 음 아니여.

예문 (15가)에서 '거시기'가 쓰였을 때 청자는 되묻기를 통해 '거시기'의 의미를 묻지 않고 뒤에 이어지는 담화 내용을 통해 '거시기'의 의미를 짐작하며, 예문 (15나)에서도 앞뒤에 이어지는 문장을 통해 '거시기'의 의미를 짐작한다.[7] 마찬가지로 '그러–' 계열 어휘 역시 청자가 발화 상황이나 화맥을 통해 의미를 추측하는 경우가 있다.

(16)

가. 옛날에는 충장로하고 여기만 있었어요. 길가에는 한복집이 없었어요. 근디 지금도 글잖아요. 여기서 장사했던 사람이 금호월드로 나갔잖아요. 금호월드 한복집 다 죽었잖아요.

나. 잉, 자들은 떠블 마이 때 우리는 또 제대로 쓰인 단추 네 개 세 개 쫙 입고 또 입으면 우리가 또 또 글잖아.

예문 (16가)에서 '글잖아요'는 선행한 "충장로와 양동 시장에는 한복집이 있고 길가에는 한복집이 없다."라는 내용을 가리키는 것으로 보인다. 이에 비해, 예문 (16나)에서 화자가 사용한 '글잖아(그렇지않아)'는 가리키는 내용을 문장에서 찾기가 어렵다. 예문 (16나)의 '글잖아'는 '한 멋 한다, 멋지다, 폼이 난다' 정도로 이해되는데, 이 의미는 발화 상황에서 화자가 이야기하는 전반적인 내용을 통해 청자가 짐작하여 얻어질 수 있다.

7
인터뷰 상황이라는 점이 고려하여 조사자가 되묻기를 하지 않았을 수도 있지만 일상 대화에서도 청자는 발화 상황을 통해 '거시기'가 가리키는 것을 추측하는 경우가 많다.

'글잖아'는 화자가 청자에게 담화 내용을 기반으로 삼아 짐작을 통해 비어있는 의미를 채우도록 하면서 화자가 직접적으로 발화하기 꺼리는 내용을 '글잖아'로 대신한다고 볼 수 있다.

광주 지역어의 형성과 광주의 지리적 성장

이준환

1. 광주 지역어의 외형적 틀

우리가 사는 광주광역시에서 사용되는 말을 광주 지역어라고 한다. 이 말은 광주에서 사용되는 말들의 연원과는 관계없이 지리적으로 광주라는 지역에서 사용되는 언어라는 점에 주목하여 붙인 이름이다. 따라서 광주에서 살아온 사람들이 현재의 광주 지역어를 만든 주인공이 된다고 하겠다. 광주에서 살아온 사람에는 광주에서 나고 자란 사람도 있지만 그렇지 않은 사람도 있다. 즉 광주와 직접 경계를 이루고 있는 담양, 화순, 나주, 함평, 장성을 비롯한 전라남도 여러 지역이나 순창, 정읍, 고창 등의 전라북도 여러 지역 등에서 광주로 이주하여 살게 된 사람도 있다.

이처럼 광주 사람들은 본디 광주 출신의 지역적 순수성을 지닌 사람도 있으나 외지에서 들어와 이미 광주에서 살고 있던 사람들과 어우러지며 섞이게 된 사람도 있어 다채로운 성격을 지닌 존재들이다. 따라서 이들이 함께 사용하며 만들어 온 광주 지역어는 본래부터 광주에서 전통적으로 쓰이던 말에 외지에서 들어온 말이 섞여 쓰이게 되면서 성격이 달라지고 다채로워진 모습을 지니게 되었다.

따라서 오늘날의 광주 지역어를 알고자 한다면 오늘날에 이르기까지 광주에 사는 사람들이 시간적으로 어떻게 변화해 왔는지를 함께 살피는 것이 필요하다. 이런 면에서 이 글에서는 오늘날의 광주 지역어가 형성되게 된 과정을 광주의 지리적 성장과 관련지어 살펴보고, 실제 광주 지역어가 지닌 언어적 양상을 주변 지역의 언어와 비교하여 다루어 보고자 한다.

2. 광주의 지리적 성장·발전과 구성원의 변화

광주는 현재 광역시로서 광주를 둘러싸고 있는 전라남도와는 별개의 자치 단체이지만 역사적으로나 사회적으로나 문화적으로나 전라남도와 떼어 놓고 생각할 수 없는 곳이다. 광주는 본래 전라남도에 속한 하나의 시였다 1986년도에 직할시(直轄市)가 되어 전라남도에서 떨어져 나와 전라남도와 같은 급의 광역 자치 단체가 되었다. 1995년도에는 직할시가 광역시(廣域市)로 이름이 바뀌게 되어 오늘에 이르게 되었다.

이렇게 광주가 전라남도에서 떨어져 나와 별개의 자치 단체가 된 것은 인구가 늘고 시가지의 면적이 늘어나면서 시의 영향력이 확대가 된 데에서 말미암은 것이다. 조선 시대 전반을 걸쳐서 광주가 속한 전라도의 중심지는 전주였으며 남쪽에서는 나주가 상당한 구실을 하였다. 그러다가 1896년에 전라도가 남도(南道)와 북도(北道)로 나뉘게 되었는데, 이때 광주는 광주군(光州郡)이 되고 이곳에 전라남도청이 자리하게 되면서 나주를 대체하는 행정상의 중심지가 되게 된다. 이것이 오늘날의 광주를 있게 한 큰 사건이었다.

이렇게 광주가 전라남도 행정의 중심지가 되고 일제 강점기를 거치면서 성장을 하게 되면서 전라도에서 가장 큰 도시가 되게 되었다. 광주는 1895년에 나주부(羅州府) 광주군(光州郡)이었다가 1896년에는 광주군(光州郡)으로 개편되었고 현재의 옛 시가지에 해당하는 곳은 광주면(光州面)이란 이름으로 불리었다. 그러다가 1931년에 광주면이 광주읍(光州邑)이 되었고, 1935년에는 광주부(光州府)로 승격되면서 광주읍을 둘러싸고 있던 광주군 지역은 광산군(光山郡)으로 이름이 바뀌고 별도의 행정 구역이 되게 되었다. 1949년에 광주부(光州府)에서 광주시(光州市)로 이름이 바뀐 후에 1965년 무렵에는 인구가 50만 명을 넘게 되어 상당한 규모의 도시가 되었다. 이 과정에서 광산군(光山郡)의 서방면(지금의 북구 중심부), 석곡면(지금의 북구 외곽부), 극락면(지금의 서구 일부, 북구 일부), 효지면(지금의 남구 일대)가 편입되어 되어 면적이 이전의 19㎢에서 11배 이상으로 크게 확장되어 214.78㎢로 늘어나게 되었다.

이후 지속적인 성장을 계속하여 1973년에는 인구가 68만 명에 달하게 되었고, 이에 행정 효율화를 기하고자 동구와 서구로 두 개의 구를 설치하게 되었다. 1980년에는 인구가 85만 명을 넘기게 되었고 북구를 설치하게 되었다. 그리고 1985년에는 마침내 인구가 100만 명을 넘게 되었고 이듬해에 직할시가 되었다.

이렇게 광주가 확장하였다고 하더라도 시가지는

영산강을 넘어가지 못하는 상태였다. 그러다가 1988년도에는 광산군과 송정시를 편입하여 광산구를 설치함으로써 시의 면적이 두 배 이상 늘게 되었고 인구는 112만 명에 달하게 되었다. 광산군과 송정시를 편입하기 전에는 시 면적이 215.11㎢였는데 이 두 곳을 편입한 이후에는 500.73㎢가 되었으니 2.33배 가까이 면적이 늘게 된 것이다. 이와 같이 광산군과 송정시의 편입은 광주가 광역 도시로서의 발전을 가속하는 데에 큰 사건이었으며, 이로써 옛 중심지의 과밀화가 상당히 해소되는 계기가 되었다.

그런 후 1995년도에는 광역시로 이름이 바뀌고 남구가 설치되게 되었다. 이로써 광주는 동구, 서구, 북구, 광산구, 남구의 다섯 개의 구를 갖춘 인구 126만 명의 광역시의 모습을 갖추게 된 것이다. 이런 틀과 흐름으로 광주는 지속해서 성장을 계속하다가 2014년에는 인구가 148만 명에 이르게 되었는데 이때가 현재까지는 광주의 인구가 가장 많았던 때이다.[1] 이 이후에는 광주의 인구는 점차 줄어드는 추세에 놓여 있다.

이와 같이 광주는 가파르게 지속적으로 성장하여 큰 도시가 되어, 지리적으로 명실상부 전라남도와 전라도를 대표하는 도시가 되게 되었다. 이런 광주의 성장은 광주와 인접한 시군의 변화와 밀접한 관계를 맺는다. 이를 가장 잘 보여 주는 것이 <표>에서 제시한 바와 같은 전라남도와 광주의 인구 변화 상황이다.[2]

1
이상의 인구 변화 수치는 국가통계포털(https://kosis.kr/index/index.do)에 제시된 것에 따랐다.

연도	전국 인구	전북 인구	전북 비중	광주 인구 (전남 분리 이전)	광주 비중	전남 인구 (광주 제외)	전남 비중 (광주 제외)	호남 인구	호남 비중
1949년	20,188,641	2,050,485	10.15	(268,597)	1.33	3,042,442 (2,773,845)	15.08 (13.74)	5,092,927	25.23
1955년	21,502,386	2,124,521	9.88	(356,733)	1.66	3,126,377 (2,769,644)	14.54 (12.88)	5,250,898	24.42
1960년	24,989,241	2,395,224	9.58	(409,283)	1.64	3,553,041 (3,143,758)	14.22 (12.58)	5,948,265	23.80
1966년	29,159,640	2,521,207	8.86	(532,235)	1.83	4,048,769 (3,516,534)	13.8 (12.06)	6,569,976	22.53
1970년	30,882,386	2,386,381	7.72	(633,792)	2.05	3,932,540 (3,298,748)	12.74 (9.50)	6,318,921	20.46
1975년	34,706,620	2,456,403	7.08	(736,674)	2.12	3,984,123 (3,247,449)	11.48 (9.35)	6,440,526	18.56
1980년	37,436,315	2,287,689	6.11	(856,155)	2.28	3,779,736 (2,923,581)	10.10 (7.81)	6,067,425	16.21
1985년	40,448,486	2,202,078	5.44	(1,042,257)	2.58	3,748,428 (2,706,171)	9.27 (6.69)	5,950,506	14.71
1990년	43,410,899	2,069,960	4.76	1,139,003	2.63	2,507,439	5.78	5,716,402	13.17
1995년	44,608,726	1,902,044	4.26	1,257,636	2.82	2,066,842	4.64	5,226,522	11.72
2000년	46,136,101	1,890,669	4.09	1,352,797	2.93	1,996,456	4.34	5,239,922	11.36
2005년	47,278,951	1,784,013	3.77	1,417,716	2.99	1,819,819	3.86	5,021,548	10.62
2010년	48,580,293	1,777,220	3.65	1,475,745	3.03	1,741,499	3.60	4,994,464	10.28
인구 변화	28,391,652	-273,265		1,207,148		-1,300,943		-98,463	
전남북 정점 기준		-743,987		943,510		-2,307,270		-1,575,512	

<표> 1949년~2010년 전국 대비 전라도 지역의 인구 변화(단위: 명, %)

2
이 표는 국토정보지리원(2015),
『한국지리지 전라남도』의
281쪽에 제시된 것을 가져와
글쓴이가 일부 수정을 한 것이다.

<표>를 보면 알 수 있듯이 광주를 포함한 호남 인구가 전국 인구에서 차지하는 비율은 1949년도의 25.23%에서 2010년도에는 10.28%로 무려 14.95% 포인트가 감소하였다. 따라서 전국 인구에서 호남 인구가 차지하는 위상이 60%가량 감소한 것이다. 인구수가 가장 정점을 찍었던 때는 1966년도의 일로 이때는 인구가 6,569,976명에 달하였다. 이때에 비하면 2010년도의 인구는 1,575,512명이 줄어들었다.

 그런데 광주의 인구는 1949년도 대비 1,207,148명이 늘어났고, 인구 정점 대비로는 943,510명이 늘었다. 따라서 전남, 전북의 인구 감소로 말미암은 호남 인구의 감소와는 극명한 대비를 이루며 대도시로 성장하였다는 것을 알 수 있다. 이런 광주 인구의 변화는, 광주를 둘러싼 전남 인구의 변화와 비교하면 인구 정점 시기를 기준으로 전남 인구에서 줄어든 약 40% 정도에 해당하는 인구가 늘어나는 모습을 보인다. 이런 인구 변화 양상으로 볼 때 광주 내의 자연 인구 증가를 제외한다면 대략적으로 전남에서 전출한 인구의 많은 수가 광주로 유입된 것임을 어렵지 않게 짐작할 수 있다.

 1990년부터 2010년까지의 전남의 인구 증감률은 목포 +2.3%, 순천 -5.05%, 광양 -8.67%, 여수 -12.03%, 영암 -19.13%, 무안 -25.69%, 화순 -28.69%, 장성 -38.69%, 영광 -43.30%, 담양 -44.86%, 곡성 -45.73%, 완도 -45.80%, 구례 -46.15%, 장흥 -47.88%, 진도 -47.97%, 나주 -50.93%, 해남 -51.08%, 함평 -51.23%, 강진 -51.79%, 고흥 -52.95%,

보성 -62.56%, 신안 -67.79%로 나타난다.[3] 여기에서 눈에 띄는 것은 농어촌 지역의 인구 감소율이 참으로 크다는 것이다. 또한 도시 중에는 나주의 인구 감소율이 압도적으로 높다.

이런 통계 결과에서 우리는 전남에서 감소한 인구의 상당수가 광주로 유입되었는데, 인구 유출이 많은 시군의 인구가 광주로 많이 유입되었을 것임을 어렵지 않게 알 수 있다는 것이다. 국토지리정보원(2015 : 294-297)에 따르면 전남에서 전출한 인구의 15.7% 정도는 광주로 유입되었다고 한다. 이 비율은 경기로 전출한 비율 7.1%, 서울로 전출한 비율 6.4%를 크게 앞서는 수치이다. 이는 전남 내에서의 이동을 제외하면 광주로 전출하는 비율이 가장 높음을 보여 주는 것이다. 도시 중 인구가 절반 이상 줄어든 나주는 인구 감소가 두 번째로 심한 여수와 비교할 때도 그 차이가 매우 큰데, 이것은 나주의 인구가 대거 인접한 광주로 유입되었을 것임을 보여 주는 것이라 하겠다.

이런 인구의 이동 양상은 오늘날의 광주 지역어가 형성되는 과정을 이해하는 데에 기본적인 자료가 된다. 특히 광주로 인구 유입이 많이 이루어진 지역어와의 관계를 눈여겨보아야 함을 보여 주는 것이라고 볼 수 있다. 이처럼 광주 지역어를 이해하는 데에는 전남을 같이 이해하는 것이 필수적으로 요청된다.

3
이 인구 증감률은
국토정보지리원(2015),
『한국지리지 전라남도』의 291-
292쪽에 제시된 것에 따랐다.

3. 광주 지역어의 구체적 모습과
지역적 교류와의 관계

앞에서 살펴본 바와 같이 광주의 성장과 발전에는 전남과의 교류가 중심에 있다. 이런 사정에 있었기에 오늘날의 광주 지역어는 본래 광주말의 특성을 근간으로 하되 전남 지역어와 접촉하고 융합하는 과정을 거치면서 변형되거나 새롭게 생긴 것이 한데 어우러지게 되어 이전과는 다른 모습을 띠게 되었다고 이해해 볼 수 있다. 즉 광주 지역어 속에는 광주만의 순수성을 간직한 것과 전남 지역어와의 교섭의 결과물이 섞여 있는 복합적인 양상이 공존하는 것이다.

이와 관련하여 가장 먼저 이야기될 수 있는 것이 광주의 지리적 확장이다. 2장에서 보인 바와 같이 시(市)로서의 광주는 광주군의 면에서 읍으로 성장을 한 후 부가 되는 과정을 거치면서 현재의 옛 시가지를 중심으로 성장하고 발전하게 되었다. 그 과정에서 광주는 광산군을 편입해 가는 일련의 과정을 거쳐서 지금의 면적을 지니게 되었다. 광산군의 편입은 1960년 이전에 서방면, 석곡면, 극락면, 효지면을 편입한 것이 1차 편입이고, 1988년에 송정시, 비아면, 임곡면, 본량면, 삼도면, 평동면, 동곡면, 서창면, 대촌면을 편입한 것이 2차 편입이라 할 수 있다.[4]

이런 지리적 확장에 따라 이 지역에서 쓰이던 광산 지역어가 자연스레 광주 지역어에 포함되게 되었다고 하겠다. 그렇다면 이와 같은 지리적 성장과 발전 단계를

4
이 가운데 송정시는 본래의 송정면이 1937년에 송정읍으로 승격한 후 1986년에 시가 된 곳이며, 평동면, 삼도면, 본량면은 본래 나주군에 속했던 곳인데 1949년에 광산군에 편입된 것이다. 따라서 현재의 광주광역시 광산구 서쪽에 해당하는 곳은 나주 땅이던 곳이 광주에 편입되어 광주 땅이 된 것이다.

거친 광주 지역어가 어떤 언어적인 모습을 지니고 있는 것인지를 하나둘 엿보기로 하자.

전라남도의 여러 지역어에서 모음(母音)이 쓰이는 양상을 보면 /ㅔ[e]/와 /ㅐ[ɛ]/가 구별되는 지역과 그렇지 않은 지역으로 나뉘는 양상을 보인다. 이 둘이 구별되는 지역은 광양, 여수, 순천, 보성, 고흥, 구례, 곡성으로 동부 지역이다. 반면에 담양, 화순, 장흥, 강진, 함평 등 서부 지역은 이 둘이 구별되지 못하는 곳이다. 그래서 동부 지역의 말에서는 /ㅔ/를 가진 것들이 서부 지역의 말에서는 /ㅣ[i]/로 나타나거나 /ㅐ/로 나타나는 양상을 나타낸다.

이런 모습을 보여 주는 예로 표준어 '게[蟹]'가 광양, 여수, 순천, 구례, 곡성, 보성에서는 '게'로 나타나지만, 담양, 화순, 장흥, 강진, 완도, 해남, 영암, 목포, 신안, 무안, 나주, 영광, 장성, 광산에서는 '기'로 나타나며 순천, 보성에서는 '게'와 '기'가 같이 쓰이는 모습을 보이는 것을 들 수 있다.[5] 이런 양상은 '개[犬]'에서도 비슷한 모습을 보인다. 이 말은 구례, 광양, 여수를 제외한 전남 전역에서는 입이 덜 벌어지는 채로 소리가 나는 '게'로 쓰인다.[6] 즉 /ㅔ/=/ㅐ/임을 잘 보여 주는 것이다. 이것은 전남 동부 지역에서만 /ㅔ/와 /ㅐ/가 분명히 구별됨을 잘 보여 주는 것이라 하겠다.

그런데 이런 것이 어휘에 따라서는 다른 양상을 보이기도 한다. 예를 들어 표준어 '(베개를) 베다'에 해당하는 말이 곡성과 구례를 제외한 나머지 지역에서는

5
이상 /ㅔ/와 /ㅐ/의 쓰임에 관한 것은 이기갑(1986), 『전라남도의 언어지리』를 참고하였다.

6
이런 지역적인 분포는 전라남도에서 편찬한 이기갑·고광모·기세관·정제문·송하진 (1997)의 『전남방언사전』에서 확인해 볼 수 있다.

'비다'로 나타난다. 반면에 이 말과 어형이 같은 '(칼로) 베다'에 해당하는 말은 전남 전역에서 '비다'로 나타난다. 이것을 보면 전남 동부 지역에서도 /ㅔ/가 /ㅣ/로 바뀌는 곳이 있음을 잘 보여 주어서 /ㅔ/가 늘 /ㅔ/로만 쓰이는 것은 아님을 알 수 있다. 또한 같은 어형을 가진 것이지만 어떤 의미를 지니는 것인지에 따라 /ㅔ/가 /ㅣ/로 발음되는 지역의 폭이 차이가 있다는 것을 알 수 있다.

이와 유사한 양상이 표준어 '먹듯이', '보듯이' 등에서 쓰이는 '-듯이'에 대응하는 말의 쓰임에서도 보인다. 이 '-듯이'는 옛말 '-둣이(일부 '-디시')'와 연결하여 생각하여 볼 수 있는 것인데, '보듯이'는 전라도의 여러 지역에서는 '보디끼', '보데끼', '보대끼'와 같은 양상으로 나타난다. 즉 '-디끼'~'-데끼'~'-대끼'가 쓰이는데, 사용 지역은 '-디끼<광산, 함평, 보성, 순천>', '-데끼 <담양, 함평, 화순, 목포, 해남, 보성, 고흥>', '-대끼 <광양>'과 같다.[7] 여기에서 광주와 가장 근접한 광산에서 쓰이는 어형이 '-디끼'임을 고려하면 광주에서도 이 어형이 쓰일 것이 생각된다.

실제로 글쓴이가 양동시장에서 장사하시는 분들을 대상으로 조사를 해 본 바에 따르면 '-디끼'가 사용됨이 확인된다. "아무개집 갔더니 시금밥을 줘서 한 숟가락 떠먹고 왔더니 개 떨리디끼 손발이 떨린다 그래. <박수복_20220126>"와 같은 발화에서 이 어형의 쓰임을 볼 수 있다. 그런데 같은 화자의 발화에서도 "떡 한 쪽 안 익어서 아유 떡이 설었다 허데끼, 야 설었다 밥이,

7
이 지역적인 분포는 이기갑·고광모·기세관·정제문·송하진 (1997)의 『전남방언사전』에서 확인한 것이다.

그러고. <박수복_20220126>"이나 "기냥 된장국 끓이데끼 끓이면 대지<박수복_20220218>"에서 보듯이 '-데끼'가 쓰이는 것을 볼 수 있다.

이 말을 쓴 제보자[지역어 조사에 응하여 지역어를 들려주는 화자]는 1943년에 나주 금천면에서 태어나 6·25사변 때 광주 중흥동으로 옮겨와 지금까지 광주에서 살아왔고, 양동시장에서 오랜 기간 한식당을 운영해 온 분이다. 이분은 아버지가 비아(현재의 광산구) 태생이고 어머니가 광주 임동 태생으로, 어린 시절을 광주에서 멀지 않는 나주 금천에서 자랐으나 본격적인 성장을 할 무렵에는 광주로 이주하였다. 따라서 광주말의 제보자로서의 적합성을 갖추었다고 할 수 있는 분이다. 그런 제보자가 '-디끼'를 쓴다는 것은 광산 지역에서 쓰이던 말이 광주에서도 쓰이고 있음을 보여 주는 것이고, '-데끼'를 쓴다는 것은 함평, 화순, 담양에서 쓰이는 말이 광주에서도 쓰이고 있음을 보여 주는 것이다.

한복의 저고리 깃 위에 조금 좁은 듯하게 덧대는 하얗고 긴 헝겊 조각을 뜻하는 '동정'에 대응하는 어형으로 전남 지역 중에는 '동전<담양, 나주>'이 쓰인다. 이 말이 "○○○○ 살 때도 아버지 꺼 두루마기 동전을 달아드렸어. 긍게 지금 생각해 보면 눈썰미가 저기했는가. 이게 동전을 달아 놓은 걸 딱 뜯어보고 딱 해 드리고 모시옷을 풀 해 갖고 다려 드리고 그러면 인자 아버지가 이렇게 입고 나가시면 내가 뿌듯해 갖고 기분이 좋은 거 있죠. <장맹숙_20220204>"에서와 같이 광주말에서도 쓰임을 볼 수 있다. 이 말을 쓰는 분은 광산에서 광주로 편입된 대촌에서 태어나 광주에서 학교를 다니며 성장을 한 분이며[8] 오랜 기간 동안 양동시장에서 한복 가게를 운영해 온 분이다.

그리고 표준어 '요렇게, 이렇게'에 대응하는 어형이 '요로고<담양, 화순>'에서와 같이 보이는데, "한가운데 밥이 좋지. 밥은 한 가운데서 요로고 푸는 것이 제일 좋지. 밥은. <박수복_20220126>"에서와 같이 광주말에서도 이 어형의 쓰임이 보인다. 이는 담양과 화순이 광주와 경계를 두고 있는 인접 지역이라는 점이 충분히 고려될 필요가 있다.

이와 같이 '-데끼', '동전'의 쓰임은 본래의 광주말이 큰 변화 없이 이어진 것일 수도 있다. 그러나 본래의 광주말에 대한 조사가 잘 이루어지지 않은 현실에서 객관적인 자료에 근거하여 접근하여 본다면, 이 말들은 광주가 인근 지역인 함평, 나주, 화순, 담양과의 교류와 접촉을 한 것과 관련을 지으며 이해할 수 있는 것이다. 특히 전남에서 인구 감소율이 가장 큰 곳에 속하는 지역에 나주, 담양이 상위에 자리하고 있음과 관련지어 보면 이 지역에서 감소한 인구의 많은 수가 광주로 유입되었을 것임을 보여 주는 것으로 생각해 볼 수 있다. 이것은 광주말이 지리적으로 가까운 곳에서 쓰이는 어형을 공유함으로써 언어적으로 외연이 넓어졌음을 보여 주는 것으로 이해된다.

이처럼 광주말은 지리적으로 광주와 인접한 곳과

8
대촌이 광주로 편입된 것은 1988년도의 일이다.

공통 어형을 보이는 것이 많지만 지리적으로 먼 곳과도 공통 어형을 보이는 것들이 있다. 대표적으로 '곁두리'에 대응하는 어형이 '샛거리<구례, 광양, 여수>'로 나타나는데, 이것이 박수복 님의 발화에서 "군것질이라고 했을까, 뭐라고 그랬을까? 샛거리.<박수복_20220126>"와 같이 나타난다. 이 말은 전남 동부 지역에서 쓰이는 말인데도, 광주에서 이 말이 쓰임이 관찰되는 것이다. 그리고 '쑤시다, 찌르다'에 대응하는 어형으로 '쭈시다<담양, 광양, 신안>'이 있는데, "예. 살짝 팍 나가 블어 저거는. 큰일 나. 맨 처음에는 손가락도 쭈셔 블고.<장맹숙_20220204>"에서와 같이 거리가 떨어진 동부 지역과 서부 지역에서 쓰이는 말이 광주에서도 보인다. 또한 '큰 소리'의 낮은말로 쓰이는 '소락데기<담양, 광산, 여수, 신안>'가 광산 즉, 광주에서도 쓰이는 것으로 조사된 바가 있다.

이와 같이 지리적으로 먼 곳에 해당하는 지역의 언어에서 쓰이는 어형이 광주의 언어에서도 보이는 것은, 해당 지역에서 나고 자란 사람들이 광주로 이주하였거나 광주와 해당 지역 간의 언어 교류의 결과에서 말미암은 것일 가능성을 충분히 생각할 수 있다. 이는 상대적으로 광양과 여수의 인구 감소율은 낮지만 이곳에서 감소한 인구 중 적지 않은 수가 광주로 유입되었고, 이 두 지역이 산업이 발달하여 광주와의 인적인 교류와 물적인 교류가 적지 않았을 것이 고려될 필요가 있음을 보여 주는 것이 아닐까 한다.

특히 앞에서 소개한 제보자 두 분은 모두 오랜 기간을 양동시장에서 장사를 했던 분이다. 양동시장은 1910년에 문을 연 광주를 대표하는 시장으로서 광주의 성장 및 발전과 함께 호흡해 온 상징적인 곳이다. 시장은 거래가 되는 물품도 다양하지만 거래를 위하여 이곳에 오가는 사람들이 실로 다양하다. 따라서 순수 광주 지역어 이외에 전남 각지에서 들어온 말들이 유통되었을 가능성이 광주의 다른 곳보다 높은 곳이다. 이런 성격을 지닌 상인의 언어에서 그간의 지역어 조사 결과에서는 보이지 않았던 어형이 보인다는 것은, 전남의 여러 지역어가 유입되어 광주 지역어에서도 쓰이게 된 경로를 짐작케 하는 것이 아닐까 생각된다.

4. 새로운 광주 지역어의 형성

앞에서 살펴보았듯이 광주는 전남의 인구를 상당수 흡수하는 과정을 거치며 성장을 하며 새로운 광주 지역어 화자를 품게 되었다. 그리고 이처럼 광주에 유입된 사람들 사이에서 자녀가 태어나 성장하며 또 다른 광주 지역어 화자가 나타나게 되었다. 이와 같은 광주 지역의 구조적 변화로 말미암아 예전의 광주 지역어와 비교할 때 광주말은 적지 않게 성격이 달라지게 되었다고 하겠다.

실제로 이와 같이 광주 지역어의 성격이 달라지게 되었을 것임은 전남 동부 지역이나 전남 남부 지역에서 쓰이는 말이 광주에서도 실제로 쓰이게 된 것을 통하여 볼 수 있다. 이것은 언어를 쓰는 사람들의 움직임에서 해답을 찾을 수 있는 것으로 광주에 전남의 인구가 유입되어 광주의 화자들과 하나의 언어 공동체를 이루고, 광주에서 생업을 위해 활동을 하는 전남의 사람들과도 언어 공동체가 형성되면서 비롯된 것이라고 할 수 있겠다. 이것은 광주로 사람이 모이면서 여러 지역에서 쓰이던 언어도 같이 모이는 것을 잘 보여 주는 바이다.

이와 같은 모습을 보이는 광주 지역어는, 광주말이 광주의 변화, 광주에 사는 사람들, 광주를 생활의 무대를 삼는 사람들과 밀접하게 관련을 맺는 살아 있는 존재임을 느끼게 한다. 따라서 광주 지역어를 알고자 한다면 광주를 살아가는 사람들 속으로 들어가서 그들의 삶을 보고 숨소리를 들어야 한다는 것을 알 수 있다.

이와 같은 광주 지역어에 대해 우리들이 지닌 관심은 매우 크다. 하지만 그간 그만큼 광주 지역어를 알아 가고자 하는 노력은 충분치는 않았던 것 같다. 그래서 광주 지역어가 어떤 성격을 지닌 언어인지에 관하여 충분히 드러났다고 하기는 어렵다. 그러하기에 이제부터는 적극적으로 광주 지역어 속으로 들어가는 활동을 하여, 이로써 우리 삶에 광주 지역어가 더욱 가까이 다가오기를 바라 본다.

시비(詩碑)로 만나는 광주 이야기

김동근

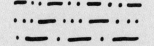

남도, 언젠가부터 보통명사처럼 쓰이는 말이다.

그리고 남도의 중심이자 남도 문학의 정신이 뿌리내리고 있는 곳이 바로 광주이다. 남도 문학의 역사성은 아무래도 그 원류를 시에서 찾을 수밖에 없다. 남도 시단이 하나의 문학권을 형성하게 된 시기는 면앙정 송순(1493~1583)과 석천 임억령(1496~1568)이 광주 인근의 담양으로 낙향한 조선시대 중기로 거슬러 올라간다.

송순의 면앙시단과 임억령의 성산시단은 김성원, 기대승, 고경명, 정철, 임제 등의 시인을 길러낸 우리 시문학의 산실이었다. 또 우리 시조 문학의 정수를 일궈낸 고산 윤선도의 문학적 배경이 해남의 연동 일대와 완도 보길도인 점을 보더라도 남도가 예로부터 한국 시의 본고장이었음은 두말할 필요가 없겠다.

남도의 이러한 서정적 기류와 전통을 이으면서 한국 현대시에 초석을 놓은 시인들이 1930년대 '시문학파'의 김영랑과 박용철이다. 뒤를 이어 1950~60년대에는 다형 김현승이 광주지역의 현대 시단 형성에 중추적 역할을 하였다. 또 1970~80년대 지난한 현대사에서 서슬 퍼런 군부독재에 항거하며 광주와 전라도를 민주화의 상징으로 자리매김하게 한 김남주, 조태일, 문병란, 김준태 등 민중시인들 역시 이곳 남도의 목소리로 전국 방방곡곡을 메아리치게 한 시인들이었다.

이 외에도 수많은 시인이 뜨거운 가슴과 절절한 노래로 보듬어왔던 남도 땅, 이곳 광주에는 유난히 많은 시비가 세워져 있다. 때로는 애절하고 때로는 투박한

시인의 육성으로 새겨진 시비(詩碑)를 찾아 광주의
이야기를 만나 본다.

광주공원의 용아·영랑 시비

광주 최초의 공원인 광주공원은 남구 사직동을
끼고 흐르는 광주천의 서편 둔덕에 자리하고 있다.
공원 입구 계단을 오르다 보면 현충탑 못미처 오른편
커다란 느티나무 그늘에 쌍둥이 시비가 대칭을 이루고
서 있다. 우리 문학사에 처음으로 순수시의 기치를 올린
시문학파의 두 시인, 광주의 용아 박용철과 강진의 영랑
김윤식이 마치 지금도 살아서 서로의 우정과 시심을
나누고 있는 것만 같다.

왼쪽 용아의 시비에는 <떠나가는 배> 첫 연이, 오른쪽
영랑의 시비에는 <모란이 피기까지는>의 끝 두 행이
새겨져 있다. 이 시비는 1970년 '한국 신시 60년 사업'의
일환으로 정소파, 문병란, 손광은 등 이 지역 문인들이
주축이 되어 건립한 최초의 시비인데, 이런 쌍 시비는
전국에서도 찾아보기 힘든 희귀한 경우이다.

모란이 피기까지는
나는 아직 나의 봄을 기다리고 있을 테요
모란이 뚝뚝 떨어져버린 날
나는 비로소 봄을 여윈 설움에 잠길 테요
오월 어느 날 그 하루 무덥던 날

떨어져 누운 꽃잎마저 시들어버리고는
천지에 모란은 자취도 없어지고
뻗쳐오르던 내 보람 서운케 무너졌느니
모란이 지고 말면 그뿐 내 한 해는 다 가고 말아
삼백예순날 하냥 섭섭해 우옵내다
모란이 피기까지는
나는 아직 기다리고 있을 테요 찬란한 슬픔의 봄을

―김영랑 시비, <모란이 피기까지는> 전문

1930년대 한국 순수서정시를 대표하는, 너무나 잘 알려진 시이다. 김영랑(1903~1950)과 시문학파는 일체의 현실주의적 목적성도 배제한 채 예술로서의 언어미학만을 추구했던 시인들이었다. '북에는 소월, 남에는 영랑'이라 불릴 정도로 영랑 김윤식은 향토성 짙은 토착어를 아름답게 세련하고 거기에 애이불비의 남도 가락을 실어낸 시인이다.

그럼에도 이 시를 광주의 심장 금남로와 그 젖줄 광주천을 내려다보고 있는 광주공원 둔덕의 시비에서 다시 읽고 있자니 문득 1980년 광주의 5월 민중항쟁이 떠오른다. 마치 50년 전에 시인이 미리 예견이나 했던 것처럼 그 '모란'이 1980년 5월 민주화의 열망을 외쳤던 '찬란한 슬픔의 봄'에 다시 피어난 것은 아닌지 새삼스러운 생각이 들게 한다.

송정공원의 용아 박용철 시비

　광주시 광산구 소촌동 송정공원길을 따라 오르다
보면 금봉산 자락 푸른 수목들 사이 호젓하게 떠 있는
흰 돌배 한 척을 볼 수 있다. 광주공원에서 영랑의
시비와 짝을 이루고 서 있던 용아 박용철(1904~1938)의
시비를 1985년 그의 생가 인근 송정공원에 따로 세운
것이다. 대표시 <떠나가는 배>의 모티프인 황포돛배를
본떠 시비의 모형을 만들었고, 바람을 받아 한껏 부풀어
오른 것 같은 삼단 돛폭 형태의 비문에는 시인의 얼굴과
시 전문이 새겨져 있다.

　나 두 야 간다
　나의 이 젊은 나이를
　눈물로야 보낼 거냐
　나 두 야 가련다

　아늑한 이 항구인들 손쉽게야 버릴 거냐
　안개같이 물 어린 눈에도 비치나니
　골짜기마다 발에 익은 묏부리 모양
　주름살도 눈에 익은 아 - 사랑하던 사람들
　버리고 가는 이도 못 잊는 마음
　쫓겨 가는 마음인들 무어 다를 거냐
　돌아다보는 구름에는 바람이 희살 짓는다
　앞 대일 언덕인들 마련이나 있을 거냐

나 두 야 가련다
나의 이 젊은 나이를
눈물로야 보낼 거냐
나 두 야 간다

―박용철 시비, <떠나가는 배> 전문

이 시비에서는 정처 잃은 식민지 지식인의
고통스런운 자화상을 만날 수 있다. 박용철이 유년 시절
자주 찾았던 황룡강변이 이 시의 무대였으리라
짐작되는데, 일제강점기 많은 이가 정든 고향을 떠나야
했던 식민지 현실, 그 무게를 지탱하려는 젊은 시인의
눈물겨운 몸부림이 떠나가는 배처럼 시 안에서 출렁이고
있다. 사재를 털어 《시문학》지 발간 경비를 전담하였던
박용철의 의지가 없었다면 김영랑, 정지용 등 시문학과
시인들이 한국 현대시의 초석을 놓는 일도 그만큼
더디었을지 모를 일이다.

광산구 소촌동에 있는 송정중앙초등학교를 지나
좁은 골목길로 접어들면 그 끝에 광주광역시 기념물
제13호로 지정된 박용철의 생가가 잘 보존되어 있다.
또 광산구청과 '용아박용철기념사업회'에서는 시인이자
평론가, 번역가, 극예술운동가, 출판인이었던 종합 문화인
용아 박용철을 기념하여 해마다 백일장과 학술대회,
박용철문화대상 시상 등 여러 가지 기획 행사를 통해
지역문화 창달에 힘쓰고 있다.

양림동 역사문화마을의 다형 김현승 시비

남구 양림동 제중로 일원에는 100년 전 광주에서
가장 먼저 근대화의 물꼬를 튼 역사 문화 유적들이
그 시절 이야기를 생생하게 들려주듯이 고스란히 남아
있다. 골목골목 걷다 보면 초창기 기독교 선교 이야기를
담고 있는 근대 서구식 건물들과 잘 보존된 전통 한옥
가옥들이 서로 어우러져 발길을 붙잡는다. 이 역사문화
마을에서 무등산 차와 커피를 사랑했던 시인, 퓨리턴의
구원과 고독의 시인, 그리고 가을과 눈물의 시인 다형
김현승의 자취들을 반갑게 만날 수 있다.

김현승(1913~1975)은 1922년부터 양림교회 제5대
목사로 사목하였던 김창국의 아들이다. 따라서 그는
어린 시절부터 독실한 기독교 신앙을 체화하고, 서양
선교사들을 통해 근대 문물을 접하며 성장할 수 있었다.
그 시절 선교사 사택이 있던 지금의 호남신학대학
언덕길을 자주 산책하며 시를 썼다고 하는데, 지금은
그 산책로를 '시인의 길'이라 명명하여 관리하고 있다.

이곳 호남신학대학의 교정에 2007년 1월 다형
김현승을 기리는 시비가 세워졌다. 이 시비는 펜촉과
햇불을 상징하는 3m 높이의 주 조형물에 시비 명을
새기고, 하부에는 펼쳐진 책 형태의 빗돌에 대표시
<가을의 기도>를 새긴 비문을 배치하였으며, 시인의
연보와 그를 기리는 후배 문인들의 이름이 새겨진
보조 석물을 더해 세 부분으로 구성되어 있다.

가을에는
기도하게 하소서……
낙엽들이 지는 때를 기다려 내게 주신
겸허한 모국어로 나를 채우소서.

가을에는
사랑하게 하소서……
오직 한 사람을 택하게 하소서.
가장 아름다운 열매를 위하여 이 비옥한
시간을 가꾸게 하소서.

가을에는
호올로 있게 하소서……
나의 영혼,
굽이치는 바다와
백합의 골짜기를 지나,
마른 나뭇가지 위에 다다른 까마귀같이.

－김현승 시비, <가을의 기도> 전문

　이 시는 신앙인으로서, 그리고 시인으로서 인간
존재의 근원적 가치를 추구하고자 하는 마음을 기도문
형식을 빌려 기구하고 있는 작품이다. 신과의 관계에
대해 늘 고뇌하는 시 세계를 보여준 김현승이지만,
식민지 현실에 강인한 의지로 맞서기도 하고 인간주의적

'절대고독'의 순간을 노래하기도 하였다. 이러한 청교도적 자세가 그의 삶에서도 그대로 드러나는데, 일제 말기 신사참배를 거부하다 교단에서 파면당한 사실이 이를 방증하고 있다.

평양에서 태어났지만 7세 때부터 아버지를 따라 양림동에서 성장한 김현승에게 광주는 삶의 고향이자 시심의 원천이었다. 양림동 정율성로에는 시인이 거처했던 집터가 남아 있으며, 근처에서 다형 탄생 100주년 기념 <절대고독>의 시비도 만날 수 있다.

양림동을 벗어나 무등산 원효사지구 산장 가는 길을 굽이굽이 오르다 보면 마지막 한 굽이를 남겨놓고 시 <눈물>이 새겨진 또 하나의 김현승 시비에 이르게 된다. 김현승 시비 중 가장 빠른 1977년 6월에 세워졌는데, 높다랗게 우뚝 솟은 기둥에 타원형의 비문을 가로지른 양이 마치 십자가 같기도 하고, 또 영원을 희구하는 끝없는 구도의 표상 같기도 하다.

1951년부터 1960년까지 조선대학교 교수로 재직하며 다형 김현승이 길러낸 젊은 시인들이 이제는 이 지역을 이끄는 원로시인의 역할을 맡고 있으니, 광주 시단에서 차지하는 그의 무게를 가히 짐작할 수 있겠다.

사직공원의 박봉우, 이동주, 이수복 시비

양림동 역사문화마을 서편에서 광주공원 남쪽 등성이로 이어지는 남구 양림동과 사동 일대에 사직공원이 자리하고 있다. 이곳은 조선시대에 나라의 안녕과 풍년을 빌기 위해 제사 지내던 사직단이 위치했던 곳으로, 1906년에는 일본군 중대 병영 터가 되었고, 1924년 공원으로 조성된 후 1961년에는 전통 활터인 관덕정이 들어섰다.

1971년에 개장한 동물원과 실외 수영장이 1992년 북구 우치공원으로 이전하기 전까지 사직공원은 1970~80년대 호남 최고의 명소로 각광받았던 곳이다. 과거 팔각정이 있던 곳에 새롭게 전망 타워가 자리 잡은 데다 사직동 통기타 거리로 이어져 있어 지금도 광주시민들의 발길이 끊이지 않는다. 이곳 사직공원의 산책로를 따라 걷다 보면 남도의 옛 시인들부터 현대 시인들에 이르기까지 십 수개의 시비들을 마주하게 된다.

1970년대 초부터 순차적으로 설치된 금남군 정충신, 충장공 김덕령, 눌재 박상, 고산 윤선도, 백호 임제, 면앙정 송순, 하서 김인후 등의 시비가 여기저기 산재해 있는데, 그중 현대 시인으로는 <강강술래>의 시인 해남 출신 이동주와 <봄비>의 시인 함평 출신 이수복, <조선의 창호지>의 시인 광주 출신 박봉우의 시비가 있다. 이 세 시인은 1950년대에 등단하여 섬세한 서정을 남도 가락에 실어 노래한 시인들이다.

조선의 창호지에
눈물을 그릴 수 있다면.

하늘만큼 한 사연을……

눈물 흘리지 말고
웃으며 당신에게 드리고 싶은,

하늘만큼 한 밤을…

조선의 창호지에
눈물을 그릴 수 있다면.

―박봉우 시비, <조선의 창호지> 전문

　박봉우(1934~1990) 시인은 망국과 식민, 전쟁과 분단,
그리고 독재로 이어진 조국 현실의 그 "하늘만큼 한
사연을" 조선의 창호지에 눈물 흘리지 않고 그리고 싶어
한다. 그는 이 외에도 민족적이고 역사적인 상상력을
통해 <휴전선>, <서울 하야식> 등 참여시계열의 작품을
많이 남겼다.
　이수복(1924~1986)은 <봄비> 시비에서 "이 비 그치면/
내 마음 강나루 긴 언덕에/ 서러운 풀빛이 짙어 오것다…"
라고 하여 향토적 서정을 노래하고 있으며, 이동주(1920~
1979)는 <강강술래> 시비에서 "뛰자 뛰자, 뛰어나 보자./
강강술래.// 뇌누리에 테이프가 감긴다./ 열두 발 상모가
마구 돈다."라고 하여 강강술래를 통해 우리 민족의
보편적 정서인 서러움과 한을 노래하고 있다.

중외공원의 김남주, 고정희, 정소파 시비

　북구 운암동 164번지 일원에 자리한 중외공원은 1981년 8월에 준공되었으며, 운암저수지, 민속박물관, 시립미술관, 비엔날레관, 문화예술회관, 어린이공원, 야외음악당, 용봉초록습지 등을 아우르는 광주의 대표적인 문화벨트이다. 이곳 중외공원에는 김남주, 고정희, 정소파 세 시인의 시비가 있는데, 먼저 비엔날레 전시관에서 시립미술관으로 가다 보면 왼편 비엔날레 기념 동산 오르막에서 시 <노래>가 새겨진 민족시인 김남주(1946~1994)의 시비를 만날 수 있다.

이 두메는 날라와 더불어
꽃이 되자 하네 꽃이
피어 눈물로 고여 발등에서 갈라지는
녹두꽃이 되자 하네

이 산골은 날라와 더불어
새가 되자 하네 새가
아랫녘 윗녘에서 울어예는
파랑새가 되자 하네

이 들판은 날라와 더불어
불이 되자 하네 불이
타는 들녘 어둠을 사르는
들불이 되자 하네

되자 하네 되고자 하네
다시 한 번 이 고을은
반란이 되자 하네
청송녹죽 가슴으로 꽂히는
죽창이 되자 하네 죽창이

─김남주 시비, <노래> 전문

이 시는 가수 안치환이 부른 '죽창가'의 가사로 쓰이며
더 많이 알려진 작품이다. 동학농민운동 당시 충남 공주
우금치 들판에서 관군과 일본군에 죽창으로 맞서 싸우다
죽어간 농민군을 모티프로 한 시이지만, 한편으로는
1970~80년대 군사독재 정권에 저항하며 민중혁명의
최 일선에 서고자 했던 민중 투사이자 민족시인 김남주의
결기 서린 외침이기도 하다. 시대의 파랑새가 되고,
들불이 되고, 죽창이 되고자 했던 시인의 육성이 마치
그의 삶처럼 단단한 바위에 새겨져 있는 것이다.

이 시비는 2000년 5월 민중미술작가 홍성담이
제작한 것으로, 시가 새겨진 빗돌을 가운데 두고 좌우로
시인의 흉상과 대나무를 그린 돌기둥 다섯 개가 서 있다.
또 2019년 5월에는 김남주 시인의 모교인 전남대학교
인문대학 1호관에 '김남주기념홀'을 개관하여 관련
자료를 비치 및 전시하고 있다.

중외공원 내 광주문화예술회관 야외 원형광장에는
1997년 10월 건립된 고정희(1948~1991)의 시비가 있다.

광주문인협회에서 세운 것으로, 시인의 흉상과 함께 시 <상한 영혼을 위하여>가 새겨져 있다. 고정희는 여성운동의 선봉에 서기도 하였지만, 관념적 여성주의에서 벗어나 현실에 대한 날카로운 투시력과 시대적 아픔을 당당한 서정으로 고양한 시인으로 평가받는다.

정소파(1912~2013) 시비는 광주문화예술회관 국악당 앞에 있다. 1998년 5월 광주와 전남의 문인협회와 호남시조시인협회가 함께 세운 것으로, 시비에는 시인의 등단작 <설매사>가 새겨져 있다. 송정공립보통학교 재학 시절 광주학생독립운동에 참여하였고 일제의 한글 말살 정책에 분연히 항거하였던 그는 시조 시인으로서 민족의 정서를 노래하며 끝까지 선비의 자세를 견지하였던 시인이다.

무등산 국립공원의 범대순 시비

무등산은 광주의 진산이다. 해발 1,187m의 국내 몇 안 되는 높은 산인데도 광주 사람들에게는 동네 뒷산 처럼 정겹고 따뜻하다. 무돌산, 무덤산, 무당산, 서석산 등 그 이름의 유래를 여러 가지로 추론하지만, 그 의미가 어디에서 왔던 무등산은 광주 사람들에게 마음의 고향이고 어머니의 품과 같다. 1972년에 도립공원으로 지정된 후, 2012년 국립공원으로 승격되었고, 2018년 4월 유네스코 세계지질공원이 되었다.

무등산을 오르려면 주로 증심사지구나 원효사지구로

향해야 하는데, 증심사지구 무등산탐방지원센터 잔디광장에 가면 범대순(1930~014)의 시비를 만나게 된다. 2018년 5월 가로 2m, 세로 1m 크기의 자연석 바윗돌을 다듬어 설치하였으며, 전면에는 시인의 얼굴과 시 <무등산 송>이 새겨져 있고 후면에는 설립 취지와 약력, 추진위원 명단 등이 기록되어 있다.

우리가 무등산이 좋은 것은
눈을 감아도 그 동서남북
서서 바라보는 자리가 화순인 듯 담양인 듯
광주 어디 서서 보아도 크고 넉넉함이며
우리가 무등산이 좋은 것은
춘하추동 계절 없이 넘어선
언제나 붉은빛이 푸른빛이고
옛날이나 지금이나 다만 자색의 꿈
우리가 무등산이 좋은 것은
알맞게 높고 알맞게 가난하고
그 안에 수많은 장단과 고저
역사가 바위가 되고 흙이 된 긴 이야기
평생 한 번만이라도 원노니
낮에도 별들이 내려와 노는
너덜겅같이 밤에도 태양이 뜨는
침묵이 바로 함성인 큰사람같이

－범대순 시비, <무등산 송(頌)> 전문

이 시에서 무등산은 광주와 화순, 담양을 품고 있는 크고 넉넉한 산이고, 예나 지금이나 변함없이 역사의 긴 이야기를 침묵으로 전해주고 있는 큰사람 같은 산이다. 범대순은 흔히 '무등산 시인'이라 불린다. 살아생전 무등산을 천 번 이상 올랐다 하니 그에게 무등산은 일생의 스토리가 담긴 곳이다. 자신의 무등산 산행을 '요산요수'가 아닌 '고산고수'라 말하곤 했던 범대순의 광주와 무등산에 대한 사랑, 인간에 대한 존재론적 질문, 세계의 근원에 대한 시적 사유는 알고 보면 그 고행의 산행에서 싹튼 것이라 하겠다.

범대순뿐만 아니라 광주의 시인들에게 무등산은 시적 뮤즈의 근원 같은 곳이다. 증심사지구 탐방로 초입 문빈 정사에서 시작해 춘설헌과 증심사를 거쳐 오방수련원 까지 이르는 길을 광주시 동구청에서 '무등산 인문산책길' 로 조성하였는데, 그 길 문빈정사 맞은편 잔디공원에는 김남주, 황지우, 이성부, 조태일, 문병란, 김현승 여섯 시인의 무등산 시가 비록 시비는 아닐지라도 목판에 설치 전시되어 있어 탐방객의 발길을 멈추게 한다.

옛 도청 앞 민주광장의 김준태 시비

금남로는 임진왜란과 정묘호란 때 외적과 맞서 싸운 공적으로 '금남군'에 봉해진 정충신의 군호를 따서 붙여진 이름이다. 이곳은 오랫동안 광주의 행정과 금융의 중심 도로였고, Y다방, 전일다방, 야자수다방 등 만남의 장소로 붐볐던 곳이다. 그리고 1980년 5·18광주 민주화운동 이후 민주화의 성지가 되었으며, 2011년부터는 광주시에서 '유네스코 민주인권로'로 지정하였다.

금남로가 시작되는 곳에 옛 전남도청이자 지금의 아시아문화전당이 있고 그 앞에 분수대가 있다. 당시 민중 항쟁의 중심이었던 이곳은 이제 5·18민주광장이라 불린다. 광주시는 2019년 5·18민주화운동 39주년을 맞아 여기에 '詩가 있는 꽃벽정원'을 조성했다. 그리고 5·18민주화운동 당시 쓴 김준태의 시 <금남로 사랑>을 시인의 자필로 옮기고 가로 70cm, 세로 145cm의 철판 시비에 디자인하여 함께 설치했다.

금남로는 사랑이었다
내가 노래와 평화에
눈을 뜬 봄날의 언덕이었다
사람들이 세월에 머리를 적시는 거리
내가 사람이라는 사실을
처음으로 처음으로 알아낸 거리
금남로는 연초록 강 언덕이었다
달맞이꽃을 흔들며 날으는 물새들
금남로의 사람들은 모두 입술이 젖어 있었다
금남로의 사람들은 모두 발바닥에 흙이 묻어 있었다
금남로의 사람들은 모두 보리피리를 불고 있었다

−김준태 시비, <금남로는 사랑> 전반부

이 시는 1980년 5월 민주화운동 당시 금남로의 절박한 상황에서도 절제된 언어로 평화의 염원을 잘 담아낸 작품으로 높이 평가받고 있다. 민중시인이자 5·18민주화운동의 산 증인이기도 한 김준태(1948~)는 당시의 엄혹한 상황 속에서도 광주의 참상을 온 나라에 알리는 계기가 된 <아아 광주여, 우리나라의 십자가여>를 발표했으며, 이 시가 국립5·18민주묘지의 벽화에 새겨지기도 했다.

금남로와 평행으로 가로놓인 충장로는 광주 옛 도심을 대표하는 상권의 중심이었고, 1970~80년대에는 젊음의 열기가 넘치는 핫 플레이스였다. 화니백화점과 태산백화점, 가든백화점이 있었고, 삼복서점과 나라서적이 있었으며, 곁길에는 왕자관과 궁전제과가 있었다. 옛 우체국 계단과 충장로 파출소 앞은 젊은이들의 단골 약속 장소여서 오랫동안 '우다방'과 '충파'라는 정겨운 이름으로 불렸던 곳이다.

충장로를 노래한 시인들도 많은데, 그중 윤삼현의 <충장로 물결> 한 부분을 만나보자. "아직 강물이 되지 못한 빈 자리를/ 기다림으로 매만져주는/ 우다방 네거리를 지나/ 물보라 호흡을 날리며/ 작고 큰 물줄기를 잇대어 간다." 이 시에서처럼 사람들의 무리가 큰 물결을 이루며 흘렀던 그 시절의 충장로는 이제 쇠락한 길이 되었지만, 해마다 10월이면 '추억의 7080 충장축제'로 돌아와 우리를 반갑게 맞는다.

이덕무의 〈은애전〉 읽기

신해진

우리 고소설 가운데 호남지역을 배경으로 한 작품은 <만복사저포기>, <최척전>, <춘향전>, <흥부전>, <미인도> 등 그리 많지 않은 편인데, 이덕무(李德懋)의 <은애전(李德懋)>은 전라남도 강진(康津)을 배경으로 삼은 한문 단편 전계소설(傳系小說)이다.

<은애전>은 1790년 정조(正祖)가 옥안(獄案 : 범죄 조사 문서)을 심리하다가 김은애와 신여척의 행동을 칭송하며 석방하여 살리게 명하고서, 사건의 내용을 널리 알리기 위해 이덕무에게 전을 짓도록 하여 내각의 ≪일력(日曆)≫에 싣게 함으로써 지어진 것이다. 이 <은애전>은 이덕무의 문집 ≪아정유고(雅亭遺稿)≫에 실려 있는데, 전라남도 강진의 김은애가 저지른 살인 사건과 전라남도 장흥의 신여척이 행한 살인사건의 기록을 바탕으로 당대의 사회상을 담아낸 전계소설로, 실제 살인사건의 법적 처리 과정을 통해 당대 지배층의 통치 윤리를 엿볼 수도 있고 또한 당대 백성들의 생활상을 살펴볼 수도 있는 작품이다. 필자의 편역서 『조선조 전계소설』(월인, 2003)에 실린 <은애전>의 번역문을 윤문하여 소개하고, 유익한 생각거리를 제공한다.

한문 단편 전계소설 〈은애전〉

은애의 성은 김씨로 전라남도 강진현 탑동리(塔洞里)에 사는 양민의 딸이다. 그 마을의 안씨 할미는 지난날

기생이었는데, 마음씨가 음흉하고 언행이 거칠며 거짓되어서 심심찮게 남들의 구설에 오르곤 했다. 게다가 피부병 옴이 온몸에 번져 가려움증이라도 발작하면 더욱 말을 신중히 삼가지 못했다. 평소에 할미가 쌀·콩·소금·메주 등을 은애의 어미에게 꾸러 가곤 했는데, 은애의 어미가 간혹 주지 않을 때도 있었으니 할미는 그때마다 분개하고서 한 번일망정 꼭 해치고자 마음먹었다.

이 마을에 사는 총각 최정련(崔正連)은 할미에게 시누이의 손자로, 열너덧 살인지라 애리애리하였다. 할미는 그런 정련을 남녀의 성욕에 관한 이야기로 한껏 부추기고 그에게 말했다.

"저 은애 같은 처녀에게 장가들면 어떻겠느냐?"

정련은 빙긋이 웃으며 대답했다.

"은애 낭자는 아름답고 고우니, 어찌 매우 행복하지 않겠습니까?"

"단지 네가 벌써 남몰래 은애와 간통하였다고 떠들고만 다니면, 나는 너를 위해 혼인을 할 수 있도록 해주마."

"그리하겠습니다."

"나는 온몸에 옴이 번져서 걱정거리인데, 의원이 가려움증에 쓰는 약값이 가장 비싸다고 하니, 혼인하는 일이 이루어지면 너는 내 약값을 감당해야 한다."

"감히 이르신 대로 어떻게 하지 않겠습니까?"

하루는 할미의 영감이 밖에 나갔다가 집으로 들어오자, 할미가 말했다.

"은애가 정련이를 몹시 좋아해 나에게 중매 서달라고

하여 우리 집에서 서로 만나기로 기약했더니, 정련이의
할머니에 의해 발각되자 은애가 담장을 기어 넘어
도망쳤답니다."

이 말을 들은 영감이 엄중히 질책했다.

"정련이의 집은 대대로 보잘것없고, 은애는 양가의
처녀라오. 그런 말일랑 입 밖으로 부디 내지 마오."

그래서 온 성안에 이 소문이 쫙 퍼져 은애가 거의
시집갈 수 없었는데, 오직 같은 마을에 사는 김양준
(金養俊)만은 은애에 관한 소문이 명백히 거짓임을 깊이
알고서 드디어 장가들어 아내를 삼자, 모함하는 말들이
더욱 퍼져서 차마 들을 수가 없을 정도였다.

이때가 기유년(1789) 윤5월 25일이었다. 할미는 더욱
부풀려서 떠들고 다녔다.

"당초에 정련과 약속하면서 중매를 해주면 내 약값을
갚아 주겠다고 하였지만, 은애가 별안간 배반하고 다른
사내에게 시집가버리니 정련이가 약속한 대로 하지 않고
있다. 그래서 나의 병이 그로부터 더욱 나빠졌으니,
은애는 진정 나의 원수다."

온 동네의 늙은이나 젊은이 할 것 없이 서로 돌아보고
놀란 얼굴로 눈을 껌벅이며 손을 내젓고는 감히 말을
꺼내지 못했다.

은애는 본디 성미가 단단하고 독하였는데, 할미의
모함을 당한 지 벌써 두 해가 되었다. 이즈음에
이르러서는 더욱 부끄럽고 한스러워 진실로 견딜 수가
없어 반드시 손수 할미의 살을 발라내어 이 원통하고

분함을 한번 씻고자 했으나 기회를 얻을 수가 없었다.
이튿날 마침 할미의 집안사람들이 없는 사이에 할미가
혼자 잠든 것을 엿보고, 초저녁에 부엌칼을 들고 소매를
걷어붙이고서 치맛자락을 올려 여미고는 쏜살같이 걸어
곧장 할미의 침실로 들어갔다. 등불 하나가 어슴푸레한데,
할미는 외따로 앉아 막 자려는지 상체를 다 드러낸 채
치마만을 걸치고 있었다. 은애는 칼을 비켜 잡고 할미
앞으로 다가서자 눈썹과 눈이 모두 치켜세워졌는데,
할미의 죄상을 들추며 책망했다.

"어제의 모함은 평소보다도 더 심하더이다. 내가
당신에게 분을 풀고자 하니, 당신은 이 칼을 받으오."

할미는 마음속으로 가냘프고 약한 저년이 찌르지도
못할 것이라 여기고서 대꾸했다.

"찌르고 싶으면 찔러보아라."

그러자 은애는 다급한 목소리로 말했다.

"어찌 말로 다 할 수 있겠소."

은애가 몸을 기울여 번개같이 할미의 목덜미 왼편을
찔렀으나, 할미는 오히려 죽지 않고 살아서 칼을 쥐고
있는 은애의 손목을 급히 잡으려 하였다. 은애가 홱 손을
뿌리치며 또 할미의 목덜미 오른편을 찌르자, 할미는
그제야 오른쪽으로 쓰러졌다. 마침내 은애는 쓰러진
할미 곁에 웅크리고 앉아서 왼쪽 어깨뼈 오목하게
들어간 곳을 찌르고, 또 어깨·겨드랑이·팔다리·갈비·
목덜미·젖가슴 등을 찔렀으니 모두 왼쪽이었다. 끝으로
오른쪽 등골뼈 등을 찔렀는데 2번 찌르기도 하고

3번 찌르기도 하면서 재빠르고 날쌔게 한 차례 찌를
때마다 한 번씩 꾸짖었는데, 모두 열여덟 군데나 찔렀다.
칼에 묻은 피를 닦을 겨를도 없이 방에서 뜰로 내려와
문밖으로 나가 급히 정련의 집으로 향하여 남은 분을
풀려고 했다. 그러나 길에서 정련의 어미를 만났는데, 그
어미가 울며 만류하여 집으로 돌아오고야 말았다. 이때
은애의 나이는 열여덟 살이었다.

이정(里正 : 이장)이 달음질쳐 관아에 고발하니, 현감
박재순(朴載淳)이 위엄있는 차림새를 성하게 갖추어
가서 할미의 주검을 벌여 놓고 칼에 찔려 죽은 상태를
살피고는 은애에게 캐어 물었다.

"할미를 어떻게 찔렀느냐? 또 할미는 건장한 부녀자
이고 너는 연약한 계집이거늘, 지금 찌른 곳의 흉측함을
보아 혼자 저지른 것 같지는 않으니 숨김없이 바른대로
고하라."

이때 형을 집행하는 나졸들이 기세 사납게 늘어서고
형구(刑具)가 관아 마당에 가득히 놓여 있자, 이 옥사에
관련된 자들은 겁에 질려 위축되어서 낯빛이라고 없었다.
은애의 목에는 칼이 쓰이고 손에는 수갑이 채워지고
다리에는 족쇄가 채워져 마음대로 움직이지 못하도록
하니, 약한 몸은 더욱 기운 없이 축 늘어져 거의 지탱
하지 못할 지경이었다. 그러나 그녀의 얼굴에는 두려운
기색이 전혀 없고 말할 때도 슬픔이 전혀 묻어나지
않은 채 의연히 대답했다.

"아! 관장(官長 : 고을 수령)은 우리 부모와도 같사오니,

죄인인 제 말을 들어 주옵소서. 규중의 처녀가 모함 받으면 더럽혀진 것이 없다 하더라도 이미 더럽혀진 것과 같사옵니다. 할미는 본디 기생의 몸으로 감히 규중의 처녀를 모함하였으니, 고금 천하에 어찌 이런 일이 있을 수 있습니까? 그러니 죄인이 할미 찔러 죽이는 것을 어찌 그만둘 수가 있었겠습니까? 죄인이 비록 무지하고 어리석을지라도 일찍이 남을 죽이면 관장에게 처벌되는 것쯤은 들었으니, 어제 할미를 죽였는지라 오늘 응당 형벌을 받아 죽게 되리라는 것도 진실로 알고 있사옵니다. 설사 그러할지언정 할미는 이미 죄인이 찔러 죽였으니, 남을 모함한 죄는 관장께서 다스리시지 않아도 될 것이옵니다. 다만 바라건대 최정련을 때려죽여 주옵소서. 또한 죄인 혼자만 모함받았는데, 다시 그 누가 있어서 죄인을 도와 함께 계획하여 이런 끔찍한 사건을 저지를 수 있었다고 생각하신단 말입니까?"

현감이 한참 동안 크게 한숨을 쉬고는 할미를 찔러 죽일 때 입었던 옷가지를 가져다가 조사해 보니, 모시 적삼과 모시 치마가 모두 온통 빨갛게 물들어서 흰 적삼과 푸른 치마의 색깔을 거의 분별할 수가 없었다. 현감은 이를 보고서 두려우면서도 장하게 여기어 비록 죄를 용서해 풀어주고 싶었으나 법을 어길 수 없었으므로 심문한 내용을 대강 적어 관찰사에게 올렸다. 관찰사 윤행원(尹行元) 또한 추관(推官 : 심문관원)에게 단단히 타일렀으니, 단지 공모자가 누구인지를 캐어묻기만 하고 법에 따라 처형하는 것을 늦추도록 하였다. 그리하여

엄혹하게 추궁하기를 무려 아홉 차례나 거듭했지만
은애의 진술은 한결같았다. 오직 최정련은 나이가 어려
할미에게 속은 것으로 보아 불문에 부쳤다.

경술년(1790) 여름, 나라에 원자(元子 : 수빈박씨의
아들)가 탄생하는 큰 경사가 있어 임금이 사형수의
정상을 살피려 하니, 관찰사 윤시동(尹蓍東)이 은애의
이 옥사(獄事)를 보고하였으나 심문한 내용은 자못
은근히 완곡하였다. 임금이 측은하여 죄를 경감하고
살려주려는 일을 중대하게 여기어서 형조(刑曹)에 명해
대신(大臣)들과 의논하게 하였다. 대신 채제공(蔡濟恭)이
다음과 같은 의견을 올렸다.

"은애가 원한을 갚은 일이 비록 지극히 원통한 데서
나왔다 하더라도 그 죄는 살인을 저지른 것이니, 신(臣)은
감히 정상을 참작하여 용서하자는 논의를 할 수가
없습니다."

임금이 이에 대답하였다.

"정조를 지키는 여자가 음란하다는 모함을 당하는
것은 천하에 몹시 원통한 일이다. 은애는 정조를 지키는
여자였으니, 한번 죽는 것을 결단하는 것쯤은 도리어
쉬운 일이었을 것이다. 그러나 그저 죽기만 해서는
알아줄 사람이 없을까 두려웠던 까닭에 부엌칼을 쥐고
원수를 죽여서라도, 마을 사람들이 자기는 흠결이 없고
저 할미는 참으로 살을 도려내어 죽여야만 했다는 것을
환히 알도록 한 것이다. 은애와 같은 일이 중국의 전국
시대에 생겼더라면 그 자취는 비록 다르다 하더라도

의당히 섭영(聶榮)과 그 이름을 나란히 했을 것이니,
태사공(太史公)이 전(傳)을 짓는 것에만 어찌 그쳤겠는가?
수십 년 전에 해서(海西) 지방의 처녀가 사람을 죽인
일이 이 옥사와 비슷했는데, 감사(監司)가 놓아주기를
청하니 선왕(先王)께서 이를 칭찬하여 알리고 오래지
않아 그대로 따르시었다. 그 처녀가 출옥하자마자
중매쟁이가 구름처럼 모여들어 천금을 다투어 내놓고
데려가려 하여 결국 사족(士族)의 아내가 되었는데,
지금까지 미담으로 전해지고 있다. 그러나 은애는
원통함을 가까스로 머금었으나 급기야 시집까지 간
뒤에도 여전하여 비로소 원한을 갚았으니 더욱 참기
어려운 일이었을 것이다. 은애를 용서하여 놓아주지
않는다면 무엇으로써 풍속과 교화를 펼 수 있겠느냐?
특별히 은애의 목숨을 살려주도록 하라. 일전에
장흥(長興) 사람 신여척(申汝倜)을 석방해 준 것도
윤리의 상도(常道)를 돈독하게 하고 기절(氣節)을 중히
여기는 뜻에서 나온 것인데, 이번에 은애를 용서하여
놓아주는 것 또한 이와 같은 의미이로다. 김은애와
신여척에 관한 두 옥안의 기본적인 내용을 호남(湖南)에
반포하여 사람마다 알지 못하는 사람이 없게 하라."
······ (중략 : 신여척 사건) ······

　찬(贊)한다.

　"금상(今上 : 정조)의 성덕(聖德)이 너그럽고 어지시어
중죄인들을 재심하도록 하시고서 그들을 마치 병든
사람을 돌보듯 생각하셨다. 그래서 아침 해가 중천에

뜬 뒤에야 수라를 받으셨는데, 밤이면 반드시 촛불을
여러 번 갈아가면서도 의심나는 곳에서 그 정상을
캐고 의리에 근거하여 그 자취를 꼼꼼히 살피셨던
까닭이니, 문득 놓아준 자가 거의 200명이나 되었다.
임금의 말씀이 한번 내려지면 온 나라가 크게 기뻐하여
감격에 겨운 눈물을 흘리는 자까지 있을 지경이었다.
이를테면 김은애나 신여척은 모두 응당 마땅히 죽여야
했으나 감형시켜 살린 자들이다. 아! 만일 김은애와
신여척이 밝은 임금을 만나서 다시 그들의 죄상을
조사해 시정되지 못하고서 하루아침에 하릴없이
죽었다면 보잘것없는 평범한 남녀가 원통함을 씻지도
못하고 의리를 펼치지도 못했을 뿐만 아니라, 장차 남을
모함하는 자는 두려워하는 바가 없을 것이고 우애하지
못하는 자도 잇달아 생겨날 것이다. 그러므로 김은애를
놓아주면서 신하에게 충(忠)을 권하고 신여척을
놓아주면서 자식에게 효(孝)를 힘쓰도록 하였음은 무슨
까닭이겠는가? 오직 충신만이 그의 몸을 깨끗이 하고,
오직 효자만이 그의 아우와 우애하기 때문이리라. 충과
효가 흥기하면 밝은 임금의 교화가 널리 미칠 것이다.”

전의 양식인가? 전계소설의 양식인가?

<은애전>의 갈래 유형은 이른바 '전계소설'이라
한다. 전(傳)은 한 인물의 일생을 중심으로 그의 행적을
사실에 충실하여 가능한 구체적으로 서술하는 글인데,

흔히 도입부(가계 등 신원), 전개부(구체적 행적),
종결부(서술자의 논찬) 세 단계로 구성됨이 일반적이다.
무엇보다 전개부는 어떤 이념이나 윤리에 부합하는
개별적인 행적을 열거하는 까닭에 일관된 갈등 양상이
나타나지 않는 특징이 있다. 그런데 이러한 전의
일반적인 형식과 달리 <은애전>은 안씨 할미가 은애를
모함하게 된 동기와 모함하는 과정 및 그 모함으로
인하여 상처받은 은애가 자신의 순결을 증명하고자
부엌칼을 쥐고 안씨 할미의 침소로 들어가 끔찍이
살인을 저지르는 상황을 집약적으로 서술되고 인과적
으로 구성되어 인상적이고 극적인 분위기를 묘사하였다.
특히, 은애가 안씨 할미를 살해하는 장면은 안씨 할미가
모함에 대한 응분의 죗값을 받고 있음을 보인 것일 뿐
아니라, 은애의 강하고 매서운 성격을 생생히 보여준
것이라 하겠다. 은애의 이러한 성격은 그녀가 형틀에
갇혀 혹독한 치죄를 받으면서도 자신의 단호함을 보여준
장면에서 그대로 나타난다. 이러함으로써 주된 인물인
은애만이 아니라 안씨 할미의 성격도 또한 은애의
대립적 인물로 부각함은 물론, 그 과정에서 조선 후기
향촌 사회의 세태가 매우 생생하게 형상화될 수 있었다.
그리하여 <은애전>은 전이 소설로 전화한 '전계소설'이라
일컬어진다.

그런데 <은애전>은 앞서 작품을 소개하며 중략한
부분에 장흥의 신여척 사건이 종결부(논찬부) 바로 앞에
뜬금없이 삽입된 것을 주목한다면 과연 전계소설인가

의문이 생긴다. 전개부에 서술된 또 다른 신여척 사건은
장흥에서 형 김순창이 밀을 훔쳤다고 자신의 병든 동생
김순남을 의심하여 절구로 폭행한 사실을 안 신여척이
김순창을 꾸짖자 도리어 적반하장으로 대들어 발로
차버려서 사망에 이른 사건이다. 이 사건은 같은 살인사건
이라 하더라도 여성 정조와 전혀 다른 이질적인 소재
임이 틀림없다. 은애라는 주인공의 행위에 초점을 맞추면
구성적 주제적 완결성에 흠결이라 하지 않을 수 없다.

　　그러나 임금의 덕을 칭송하는 관점에서 보면, 살인
사건을 소재로 삼아 응당 마땅히 죽어야 할 살인자
들인 김은애에게는 고전에 나오는 열녀의 행동처럼
정절을 지키기 위함임을, 신여척에게는 의로운
마음에서 일어난 비고의적이었음을 주목하여 석방하도록
한 정조 임금의 덕을 부각하고 있다. 정조의 명을 받은
이덕무는 살인 행위를 정당화해야만 했을 것이므로
논찬부에서 임금의 덕을 칭송하기 때문인데, 이런
점에서는 전의 일반적 구성을 취한 것으로 볼 수 있다.
결국 김은애와 신여척의 살인사건은 윤리의 중요성을
깨우치는 데 좋은 본보기로 활용된 것이다.

　　따라서 <은애전>은 전의 일반적 구성 방식을 취하여
개별 사건인 김은애와 신여척의 살인사건을 나열하는
큰 틀을 마련하고, 그 큰 틀 안에 나열된 개별 사건은
전계소설 구성 방식을 취하여 유기적인 연관 관계를
중시하며 갈등 양상을 생생하게 드러낸 작품으로 볼 수
있겠다.

왜 짓도록 했고, 무엇을 말하려 했을까?

조선의 제22대 왕인 정조(正祖)는 갖가지 개혁 정치 및 탕평을 통해 대통합을 추진한 왕으로 일컬어진다. 그는 아버지인 장헌세자(莊獻世子 : 일명 사도세자)가 당쟁으로 인하여 죄인이 되어 뒤주에 갇혀 억울하게 죽는 것을 어린 나이에 보고서 할아버지 영조(英祖)에게 살려달라고 간청해야만 했던 적이 있었다. 그리하여 죄인의 아들이 될 수밖에 없어 이미 고인이 된 큰아버지 효장세자(孝章世子 : 후일의 진종)의 아들로서 왕통을 이은 왕이 바로 정조이다. 그래서 그는 자신의 치세 동안 백성들이 억울한 누명을 쓰고서 죽는 것을 막고자 했을 것이고, 이를 통해 질서가 잡힌 세계를 꿈꾸었던 것이 아니었을까.

김은애는 억울한 누명을 쓰고 살인자가 될 수밖에 없었지만, 정조 임금이 그러한 그녀의 목숨을 살린 일을 이덕무에게 전을 짓도록 했으니, 오늘날로 말하자면 일종의 판례로 남기려 한 것이라 할 수 있을 듯하다. 최근에 성폭력 피해자들이 SNS를 통해 자신의 피해 경험을 잇달아 고발하는 '미투' 운동이 있으나, 여성이 피해자임에도 오히려 여성의 행실을 문제 삼는 현상들을 종종 볼 수 있었다. 뒷담화로 인하여 피해자가 도리어 죄인 취급받는 오늘날의 현실에서 <은애전>의 의미하는 바를 꼼꼼히 읽어볼 필요가 있지 않을까.

<은애전>의 핵심 소재는 살인사건인데, 살인사건의 핵심은 여성으로서의 정절을 모함받은 데서 비롯된

것으로 김은애가 자신의 정절에 대해 모함을 일삼는
안씨 할미의 목숨을 끔찍하게 앗은 것이다. 살인하게
되기까지의 과정 및 어디를 어떻게 찔러 죽였는지
끔찍하리만치 아주 자세하게 묘사되어 있다. 이처럼
극히 이례적인 일이라고 아니 할 수 없는 부정적인
살인 행위조차 여성이 자신의 정조(貞操)에 대한 억울한
누명을 벗기 위해서는 얼마든지 가능한 것으로, 이를
가상히 여기는 임금의 찬탄까지 받은 것으로 서술되어
있다. 곧, 여느 '열부전(烈婦傳)'이나 '절부전(節婦傳)'처럼
입전 인물을 판에 박은 듯한 모습으로 그리고 있지 않은
것이다. 조선조의 여성 형상이 남편의 죽음 뒤에 따라
죽거나 외적의 침입에 맞서 정절을 지키기 위해 죽음을
택하는 여성이었던 것과는 아주 대조적인 것이라 하겠다.
이는 단순히 은애라는 인물의 개성이 워낙 강렬해서
라고 말 문제만은 아닐 것이다. 은애라는 인물의 뚜렷한
성격 창조를 위한 작자의 깊은 배려는 달리 말하면
마땅히 죽였어야 할 백성의 목숨을 살려 석방하게 한
정조 임금의 덕을 높이려는데 기여하고 있다.

김은애가 여성으로서의 정절을 중요시하고 그것을
지키고자 한 것은 그녀의 살인사건을 심리하는 과정에서
자신이 범한 살인을 변론하는 핵심이 되었다. 그래서 그
심리를 맡았던 현감과 관찰사 등은 살인사건임에도
동정하여 그 처리를 지연하기만 하였다. 또한 ≪약법삼장
(約法三章)≫에 살인한 자는 죽여야 한다고 한데다,
조선시대에는 살인사건만큼은 왕이 친히 처리해야 하는

제도가 있었다. 그리하여 정조 임금이 김은애의 옥안을
면밀하게 살핀 후에 신료들에게 묻자, 채제공(蔡濟恭)은
<은애전>에서 보다 자세하게 언급한 《정조실록》
1790년 8월 10일 2번째 기사에 의하면, "안씨 할미는
정신 나간 사람으로 근거 없는 말을 지어내 이웃
사람들에게 퍼뜨렸으니 은애가 평소에 분하고 원통한
마음은 물론 끝이 없었을 것입니다. 시집간 뒤에도
추잡한 말이 더욱 심하였으니 여자의 편협한 성미로
반드시 보복하려는 앙심은 의당 못하는 짓이 없을 정도
였을 것이므로, 칼을 무섭게 휘두른 것은 응당 그럴 수
있는 일입니다. 그러나 약법삼장에 '사람을 죽인 자는
죽여야 한다.'라고 하였고, 이런 경우 그 마음을 참작해
주어야 한다거나 저런 경우 그 정상을 용서해 주어야
한다거나 하는 말은 애당초 없었습니다. 은애로서는
설사 더없는 원한이 있더라도 이장(里長)에 고발하거나
관청에 호소하여 안씨 할미의 무고죄를 다스리게 한들
무엇이 불가하여 제 손으로 칼질을 한단 말입니까. 남을
무고한 말이 아무리 통분하다 해도 그 율문이 사형에는
이르지 않으며, 원한을 보복한 일이 비록 지극한 원한에서
나왔다 하더라도 그 죄가 살인에 적용된 이상 신은 감히
참작하여 용서하자는 논의를 드릴 수 없습니다."라고
하였다.

　그런데 정조 임금은 위의 《정조실록》 1790년 8월
10일 2번째 기사에 의하면, "은애란 자는 18세를 넘지
않은 여자이다. 그녀는 정조를 지키는 결백한 몸으로

갑자기 음탕한 여자라고 더러운 모욕을 당하였으며,
소위 안씨 할미는 처녀를 겁탈했다는 헛된 말을 지어내
수다스럽게 추잡한 입을 놀렸다. 설사 시집을 가기
전이라 하더라도 오히려 목숨을 걸고 진위를 밝혀
깨끗한 몸이 되기를 원할 것인데, 더구나 새 인연으로
혼례를 치르자마자 악독한 음해가 다시 물여우처럼
독기를 뿜어 한마디 말이 입에서 튀어나오자 수많은
주둥이가 마구 짖어대어 사방에서 들려오는 소리가
모두 자기를 비방하는 말이었다. 그리하여 원통함과
울분이 복받쳐 한번 죽는 것으로 결판을 내려고 한
것이다. 그러나 그저 죽기만 해서는 헛된 용맹이 될 뿐
알아주는 사람이 없을 것이 염려되었다. 그러므로 식칼을
들고 원수의 집으로 달려가 통쾌하게 말하고 통쾌하게
꾸짖은 다음 끝내 대낮에 추잡한 일개 여자를 찔러
죽임으로써 마을 사람들이 자신에게는 하자가 없고
원수를 갚아야 한다는 것을 환히 알게 하였으며,
평범한 부녀자가 살인죄를 범하고 도리어 이리저리
변명하여 요행으로 한 가닥 목숨을 부지하길 애걸하는
부류를 본받지 않았다. 이는 실로 피 끓는 남자라도
결단하기 어려운 일이고, 또 편협한 성질을 가진 연약한
여자가 그 억울함을 숨기고 스스로 구렁텅이에서
목매어 죽는 것에 비할 바가 아니다."라고 하였다.

이에 의하여, 단지 동정만 하였을 뿐 누명의 억울한
헛소문에 대해 사전 아무런 조치도 하지 않아서 끝내
한을 품고 살인으로써 사적인 복수에 이르도록 직무를

안일하게 소홀히 한 관원과 관료들 및 살인죄와 같은 중범죄가 근본적으로 재발하지 않도록 방책을 마련하지 않은 채 형벌로만 제재해야 한다고 주장하는 신료에 대한 강한 질책이 숨겨져 있었다고 본다면 과한 해석일까.

안씨 할미가 여자의 정절이 더럽혀졌다는 소문을 내는 술수로 은애를 모함하자, 억울한 누명을 쓴 김은애가 끝내 더 이상 참지 못하고 안씨 할미를 살인하는 과정은 당시 정절을 목숨보다 소중히 여기는 여성을 우리는 만나게 된다. ≪예기(禮記)≫에 "예는 아래로 서민에게까지 미치지 않고, 형벌은 위로 대부에게까지 미치지 않는다(禮不下庶人. 刑不上大夫)."라는 말이 있다. 곧, 지배층인 사대부 계급은 예의범절로서 스스로 윤리적인 강령과 사회 질서를 지켜야 하며, 피지배계층인 서인 계급은 형벌로서 그 행동을 제약해야 한다는 의미이다. 사대부가 법을 어겨 형벌 받을 상황에 놓이게 되면 형벌을 받기 전에 스스로 목숨을 끊어서 치욕을 피해야 한다는 의미가 들어 있는 셈이다. 이 ≪예기≫의 말을 따르면 백성을 통치하기 위해서는 법을 엄격하게 적용해야 하는바, 김은애는 채제공의 말처럼 형벌을 가함이 옳았다고 하겠다. 그러나 정조 임금은 심리적 기저에 친아버지 사도세자가 억울하게 죽은 것을 11살의 나이로 보고서 원통하게 여기는 감정이 잠재되어 있었을 것인바, 김은애의 살인이 억울한 누명을 벗어 무죄를 증명하기 위한 일이었음에 주목하지 않을 수 없었을 것으로 보인다. 이러한 주목은 결국 비록 살인죄를 저질렀을지라도 억울하게 누명을 쓴 자신의 정조를 지키고자 하는 동기가 훌륭하다고 인정하여 김은애를 방면하는 데에 이른다. 정조 임금의 이러한 모습은 백성들을 다스림에 있어서 법보다는 유교 이념을 중시하여 예교(禮敎)를 앞세운 성덕(聖德)의 군주상으로서의 밝은 덕화(德化)로 비치게 되었다. 결국 김은애를 도덕적 표본으로 삼아 이를 세상에 널리 알리고 또한 정조 임금의 밝은 덕화를 알리고자 이덕무는 전을 지은 것이라 하겠다. 살인죄와 같은 중범죄들은 형벌로만 제재한다고 근절되지 않는 까닭에 근본적으로 재발하지 않도록 하기 위해서는 예를 통해 풍속을 아름답게 해야 한다고 여긴 것이다.

그러나 <은애전>을 통해 정절을 목숨보다 소중하게 여기는 윤리를 강조하는 것은 여성의 삶을 옥죄는 집단 무의식을 의식의 차원으로 끌어올리게 된다. 이에 대해 이숙인의 『정절의 역사』(푸른역사, 2014)에 대한 정수복의 서평(제3회 아산서평모임)에서 "성리학을 내세운 조선 사회의 지배층은 새로운 국가를 세우면서부터 '남녀의 정욕 관리'를 '치국(治國)의 요건'으로 생각했다. 그래서 여성에게 정절을 요구했다. 정절(貞節)에서 정(貞)은 성적 순결을 의미하고 절(節)은 여성의 의무를 뜻했다. 정절이라는 규범으로 여성의 성행위만이 아니라 삶 전체를 규율했다."라고 언급한바, 조선시대 임금의 밝은 교화가 갖는 의미에 대해 우리는 어떻게 이해해야 할지 또한 스스로 자문할 필요가 있다.

광주 '5월'의 기억과 부끄러움

—공선옥의 소설 「씨앗불」

정명중

1.

거의 모든 5·18 소설의 주제는 살아남은 자의
부끄러움이라 해도 상관없다. 이 점에서 공선옥의 문단
데뷔작인 중편 「씨앗불」(공선옥 소설집 『피어라 수선화』,
창작과 비평사, 1994. 수록 작품) 역시 마찬가지이다.
그러나 이 소설은 5·18항쟁 이후 주인공 '위준'이라는
인물이 맞닥뜨린 사회적 차별과 배제가 불러일으킨
부끄러움의 내적 드라마를 통해 이른바 '부끄러움의
사회학'을 보여주고 있다.

그는 선택된 지식인도 그렇다고 1980년대 후반 무렵
당당한 역사의 주체로 호명되던 노동자 계급도 아니다.
그는 도시를 배회하는 부랑자일 뿐이다. 그는 사회적
차별과 배제의 장벽 앞에서 한없이 부끄러울 수밖에
없다.

이 장벽 앞에서 펼쳐지는 부끄러움의 내적 드라마는
'위준'이라는 인물 개인의 실존 차원으로 온전히
회수되지 않고, 그를 둘러싼 환경 곧 사회를 향하게
된다. 결국 이 작품은 '이곳' 사회가 여전히 죄스러운
공간일 수밖에 없다는 점, 즉 항쟁 이전이건 혹은
이후이건 그것과 상관없이 사회가 별반 달라진
게 없다(또는 달라질 수도 없다)는 절망적 인식을
독자들에게 각인시켜 주고 있다.

2.

부랑자 '위준', 이것은 그가 벗어버릴 수 없는 계급적 조건이다. 동시에 그의 삶과 영혼을 갉아먹는 운명적 굴레이다. 극히 짧았던 단 한 순간만을 제외한다면 항쟁 이전에도 그랬고, 그 이후에도 그랬다. 그 단 한 순간이란 항쟁 당시 해방광주의 상징인 도청을 피로써 사수하고자 총을 들었을 무렵부터 최후의 날 계엄군에게 체포되어 총을 빼앗기기 직전까지이다. 딱 그 찰나의 순간이다. 이 순간만 그는 자신의 조건과 운명을 초월할 수 있었다. 또 그렇다고 그는 믿었다.

그때의 기억은 너무도 강렬해서 항쟁 이후에도 그의 영혼을 온통 틀어쥐고 놓아주지 않는다. 그 기억은 그를 현실 부적응자로 만들어 도시를 배회하도록 부추긴다. 결국 그는 과거의 기억에 고착돼 버린 채 그 순간으로 회귀하기를 병적으로 갈망한다. 그는 현실에서는 이미 죽어 있는 존재, 차라리 유령에 가깝다.

그에게 특정 사상이나 관념에 힘입어 항쟁 이후의 세계를 낙관주의로 채색해야 할 뚜렷한 이유가 없다. 당연하게도 그의 삶은 영웅적인 비장미와도 관련이 멀다.

계엄군에게 당한 고문 탓에 허리통증에 시달리며 거의 자학적으로 그는 술을 퍼마신다. 그의 모습을 바라보다 지친 그의 아내는 결국 "아이구 그런다고 그놈의 허리 응혈이 풀어지우, 가슴애피(한)가

풀어지겠수우."라고 울부짖는다. 그는 골병든 육신으로
한을 풀지 못한 채 응어리진 삶을 살 뿐이다. 게다가
그는 반복되는 환청과 이명, 그리고 누군가 쫓아와
자기를 죽일지도 모른다는 막연한 공포감과 피해망상에
시달려야만 한다.

3.

항쟁의 트라우마일 게 분명한 그의 피해망상, 그
주위로 부끄러움의 상처들이 겹겹이 엉겨 붙는다. 그가
맞닥뜨려야만 하는 부끄러움들은 그가 관계하는 여러
인물을 접촉하면서 생겨난다. 그러나 그것들의 기원은
좀 더 깊은 곳에 뿌리를 두고 있다.

그를 영원한 현실 부적응자로 만들어버린 과거의
어느 순간, 그 찰나의 기억이 실은 모든 부끄러움의
발원지이다. 도시의 부랑자로 세상에 대한 원한과
적개심만을 지닌 채 도시의 암울한 뒷골목을
배회하던 그에게 '오월'은 하나의 충격이었다. 특히 그가
시민군으로 맨 처음 수중에 총을 넣게 되었을 때,
암담하고 비루했던 자신이 새로 태어나는 듯한 감동에
전율한다. 총은 그에게 꿈이자 생명선이요, 생애 처음
맛보는 자부심의 유일한 근거였다.

우선 그의 자부심은 비록 비루한 자이지만 자신이
누군가는 해야 할 일을 대표해서(혹은 대신해서)
한다는, 이른바 '대표되는 자(노예)'에서 '대표하는

자(주인)'로 탈바꿈할 수 있다는 기대로부터 나온
것이다. 그러나 자부심의 시간은 오래 지속되지 않았다.
항쟁 마지막 날 새벽 계엄군에게 잡혀 그가 총을
빼앗겼을 때 최초의 자부심도 더불어 사라졌다.

　이후 그는 무기를 되찾겠다는 실현 불가능한
열망만을 가슴에 묻은 채 술에 의지해 살아간다.
술이 불러일으키는 어떤 착각 속에서 자신의 욕망이
실현되는 판타지(대리만족)를 반복적으로 탐하기
위해서이다. 그는 엉망으로 술에 취했을 때 총 한
자루가 그의 손에 들려 있는 것 같은 착각이 든다.
그리고 오직 그때만이 벅찬 감격이 전신을 타고
흘러내리는 기분을 경험한다.

　그는 '오월' 이후 한 번도 노숙을 하지 않았다. 뿐만
아니라 더 이상 허망한 부랑의 길을 택하지 않기로
작정한다. 그래서 교도소를 나와 동료 '빵잽이(수감자를
이르는 속어)'였던 '시몬'에 이끌려 낯선 학습과 토론의
과정을 거치면서 그는 전혀 다른 사람이 되어간다고
믿었다. 결국 그 무렵 온몸의 세포가 거꾸로 서는
듯한 충격적인 '부미방사건'(1982년 부산 미문화원
방화 사건)을 접하게 된다. 이후 그는 무엇인가
오욕의 세월을 씻어낼 수 있는 일을 해야 한다는
강렬한 충동에 이끌린다. 결국 자신의 몸에 불을
질러 화형식을 한다는 분신에 대한 뒤틀린 욕망에
사로잡히고 만다.

　하지만 그런 욕망은 그를 알코올 중독의 나락으로

더욱더 몰아갈 뿐이다. 그런 그를 지켜보는 아내는
그가 귀신에 홀린 것이라며 이미 굿판까지 벌이자고 한
마당이다. 주위의 사람들 역시 그를 턱 없이 과격하고
깡패 기질은 어쩔 수 없는, 정신이 온전치 못한 자로
취급하기 시작한다.

특히 자신의 지인들에게조차 그의 욕망은 다른
것이 되고자 하는 절실한 인간적 열망으로 이해되지
않는다. 그야말로 정신병자의 망상쯤으로 치부되고
만다. 이어 그는 심한 모멸감과 부끄러움을 느낀다.
이를테면 YWCA 사무실 상근직원 '김충량'이 그에게
염려스럽다는 듯 다음처럼 충고의 말을 내뱉었을
때이다.

"내가 정신과 의사는 아니지만 말이야. 친구
한 놈이 대학병원에 있거든. 그놈 덕분에 귀동냥으로
들은 바 있어서 좀 알지. 내가 자네헌테 직접적으로
이약허긴 좀 뭐허네만 오해허진 말소. 검진을 좀
받아보면 어쩌겠는가?"

정신 검진을 받아보라는 '김충량'의 충고에 그는 어릴
적 가장 존경하던 선생님으로부터 따귀를 얻어맞았을
때보다 더한 부끄러움을 느낀다. 출신성분에 대한
치욕스러움이 밀려오는 것이다. 이어 그는 자신이
살아온 과거의 궤적들을 속으로 주워섬긴다. "'주방장,
시다, 하꼬비, 아라이, 웨이타, 조수, 때밀이, 악사,

뻰키통, 넝마, 패싸움, 콜박스, 그리고 야숙(野宿).'" 그의
부끄러움은 결코 들추고 싶지 않은 과거의 행적들이
낱낱이 적발되었다는 모욕감에서 비롯된 것이다.

임금을 제대로 주지 않자 '배 사장'과 실랑이 끝에
결국 '새생활의자공장'을 뛰쳐나온 그가 당분간 갈
곳이 여의치 않자, 찾아간 곳이 바로 그가 '그곳'으로
지칭하는 YWCA이다. 그러나 그곳 사무실에서
그가 확인해야 했던 것은 '출입금지'라는 표지가
증명하듯, 문을 앞에 두고 문 '저쪽'의 사람들과 '이쪽'의
그사이에는 넘지 못할 장벽이 엄연하게 실재한다는
점이다.

그 장벽이란 일종의 계급적 문턱이다. 그에게 정신
검진을 받아보라고 충고했던 '김충량'은 바로 문 저쪽의
사람이다. 대학병원의 의사가 친구일 수 있다는 단
하나의 사실만으로도, 여하튼 '김충량'은 그 같은
부류와는 다른 계급이다.

특히 '김충량'이 그와의 만남을 접고 자리를 뜨면서
그에게 "자주 놀러 오라구."라고 말한다. 이 말은 일종의
쒜기에 가깝다. 사람들이 만나고 헤어질 때 으레 하는
인사쯤으로 생각해도 무방하다. 그러나 '김충량'의
이 말은 바로 직전에 그에게 했던 "중심을 잡고
살라구."라는 충고의 말과 뒤섞이면서 계급적 경멸의
뉘앙스가 덧붙는다.

요컨대 '김충량'의 눈에 그는 여전히 정신을 차리지
못하고 한 곳에 정주하기를 거부한 채, 이곳저곳을

쓸데없이 배회하는 부랑자일 따름이다. 따라서 그의 열망이 정상인의 것으로 보일 리 없다. 그 열망은 예나 지금이나 중심 없이 살다가 결국에는 정신 줄을 놓아버린 자의 해괴한 망상에 불과하기 때문이다.

그의 부끄러움은 그래서 그가 정신병자 취급받고 있다는 사실 그 자체보다는 오히려 계급적 단절 앞에서 느끼게 되는 위화감이나 모멸감으로부터 파생된 것이다. 결국 그는 '김충량'의 충고 탓에 "자기 홀로 부웅 떠서 부초처럼 대상의 표피만을 떠돌아다니는, 하여 하릴없는 허깨비의 몸짓으로 허방만을 딛고 사는" 듯한 고립감에 빠져든다. 그리고 그 고립감은 그를 분하고 서러운 감정으로 몰아간다.

사실상 그에게 부끄러움, 고립감 그리고 분노는 서로 별개의 감정이 아니다. 서로가 서로를 물고 있는 순환고리처럼 한 덩어리이다. 예컨대 과거에 항쟁을 함께 겪었고 그가 '형'이라고 부르긴 했지만, 이제 그와는 완전히 처지가 다른 국회의원 후보자가 "그래, 잘 사냐?"고 물었을 때도 그랬다. 자신이 잘 사는지 어떤지 분간할 수 없는 대신 역사의 움직임에서 자기 혼자만 일탈하고 있다는 고립감에 젖는다.

한편 카톨릭센터 정의평화위원회 간사 '김 선배'는 그에게 일자리 알선을 해주었다. 뿐만 아니라 그에게 어떻게 살아가는 것이 올바른 것인지를 알려준 장본인이다. '김 선배'는 이른바 "막돼먹고 심란하기 그지없는 놈들도 그 따뜻한 인간성으로 늘 살펴주는 사람"이다. 그러나 그는 타고난 부랑자 성향 곧, 깡패 기질은 아무리 해도 어쩔 도리 없음을 증명한 꼴이 된 사건을 일으킨다. 그 탓에 그런 '김 선배' 앞에서조차 심한 부끄러움을 느껴야 했다.

그는 술김에 비위가 상해 미군 흑인 병사와 난투극을 벌인다. 그러다가 그만 잘못하여 싸움을 말리던 여자(창녀)를 때렸다가 경찰서에 붙잡혀 오게 된다. 이때 '김 선배'는 담당 형사의 직속상관('김 선배'의 친구이다.)을 찾아가 그를 구슬린다. 그 덕분에 그는 불구속 처리되었다. 심지어 폭행당한 여자와 그 일행들을 다방으로 데리고 가서 합의하는 일까지 도맡아 한다. 사태가 이 지경이고 보니 결국 그는 부끄러운 나머지 자신이 병신 머저리가 돼버렸다며 분노하기에 이른다.

그에게 부끄러움 그리고 고립감과 분노의 악순환은 그가 살아 있는 한 계속될 것이 분명하다. 더군다나 그를 지속적으로 괴롭히는 근원적인 부끄러움, 즉 살아남은 자의 부끄러움과 더불어서 말이다.

고아원에서 나와 총을 잡기 전까지 페인트 통을 들고 간판 일을 따라다녔던 어린 '소년'은 항쟁 최후의 날 그가 보는 앞에서 처참하게 죽었다. 대신 그는 살아남았다. 그 '소년'은 이명과 환청으로 되살아나 언제나 그를 괴롭힌다. 결국 그는 총으로 상징되는 잃어버린 시간으로 회귀하려는 퇴행적 열망과 더불어 겹겹이 늘러붙는 부끄러움을 끼고 살아야 한다. 그의

표현대로라면 "저 속에서 또 울컥 치밀어 올라오는 주먹
덩이를 목구멍이 아프게" 삼키듯 그렇게 살아야만 한다.

4.

정신병자 취급을 받아도 게다가 살아가는 것 자체가
부끄러움이고 고립감과 분노의 연속이라 해도 그는
어떻게든 살아내야 한다. 그에게는 아내와 자식이
있다. 그러나 그에게는 삶의 방향성도 목표도 없다.
그렇다고 참조할 만한 이상적인 삶조차 있지 않다. 그의
주위에 있는 어떤 인물도 그에게 삶의 방향이나 해답을
일러주지 못한다.

그의 주위로 대략 네 개의 인물 유형이 포진되어
있다고 할 수 있다. 곧 그의 삶과는 그다지 상관없을
유형, 어떻게든 적응해서 살아가는 유형과 그렇지
못하는 유형, 그리고 과거의 기억을 파먹으면서 유폐된
삶을 선택한 유형이 그것이다.

우선 그의 삶과는 상관없을 유형의 인물로
'새생활의자공장'의 공장주 '배 사장'이 있다. 이 인물은
대단히 인색하고 교활하다. "공장 해봤자 푼돈만 벌리고
일한 놈하고 나눠 먹자니 그것 또한 배 아픈 일"이
아닐 수 없던 차에 집권 여당 민정당(민주정의당)
"똘마니 노릇"하겠다고 나서는 기회주의적 인물이다.
기회주의라는 맥락에서 보면 재야운동권이며 YWCA
상근직원이자 '위준'에게 정신 검진 받기를 충고했던

'김충량' 또한 '배 사장'과 엇비슷한 인물이다.

'배 사장'이나 '김충량'과 같은 인물을 굳이 계급적으로 분류하자면, 부르주아군(群)으로 묶는 게 적당할 듯하다. 이 점에서 '위준'은 그들과 이미 계급적으로도 섞일 수 없을 뿐만 아니라 그들 특유의 기회주의가 삶의 방향이나 목표가 될 수 없다.

다음 항쟁 이후의 변해버린 상황에 적응해서 어떻게든 살아가는 유형이다. 우선 시민군 기동 타격대 5조 조장 일명 '박폭'인 '박명수'가 있다. 그는 교도소에서 나와 먹고 살 방편을 마련하느라 운전을 배우러 다녔던 보람으로 택시운전수가 되어 있는 인물이다. 그리고 항쟁 당시 다리에 총탄을 맞아 장애자가 돼버렸지만 먹고 살기 위해 포장마차를 하는 '김만희'도 있다. 이 유형에서 가장 눈길을 끄는 인물은 '강석'이다. 그는 항쟁 이전에 하루 백 원하는 청색아파트(노동자합숙소)에 기거하며 술집에서 아코디언을 연주하기도 하고, 때때로 역전 거리의 꼬마들을 시켜 춘화 장사도 했던, 그야말로 "습기 찬 도시의 그늘 밑에서 썩어가고 있던" 인물이다. 그러나 항쟁은 그를 완전히 다른 사람으로 바꾸어 놓는다.

'강석'은 국회의원 선거를 통해 이른바 '오월'의 제도화를 이룰 수 있다고 턱없이 굳게 믿어버리는 순진성을 보인다. 어찌 되었건 우직한 투사의 면모를 갖춘 선거운동원이고, 변신에 성공한 인물이다. 그래서 '위준'은 그런 그에게 감탄한다. 즉 "그가 내어 뱉는 말,

그가 내어 뻗는 팔 그 하나하나의 소리와 움직임에는 힘이 있었고 그것은 그대로 빛나는 아름다움"이 되는 장면을 목격했기 때문이다. 그러나 그런 빛나는 아름다움은 결코 '위준'의 몫이 될 수 없다. 잃어버린 시간에 대한 비정상적인 열망과 집착이 이미 그의 영혼을 황폐화시켜 버린 탓이다.

'강석'의 반대편에 '시몬'이라는 인물이 있다. 그는 서울 어느 대학 한의과대 1년을 다니다 광주에 잠입 폭도가 되었던 인물이다. 기동타격대원 중 이른바 먹물을 먹은 축에 속한 그는 "여리디여린 속살은 늘 상처받고 부대끼면서도 저 깊은 속에서 찬란한 빛을 발하는 산호" 같은 내면을 지닌 열정적인 차라리 야수에 가까운 인물이다. '위준'의 절친한 친구이기도 하다. 그런 '시몬'은 감옥을 나와 이후 두 차례나 정신병원을 드나들어야만 했다. 한번은 대인동 뒷골목의 여성(창녀)을 사랑했던 탓에 또 한 번은 부모와의 불화로 분노하다가 결국 스스로 동맥을 끊어버리는 자해 사건 이후였다.

결국 '시몬'은 전형적인 현실 부적응자의 면모를 보여주고 있는 셈이다. 이 점에서 보면 항쟁 피해자 보상금 명목으로 정부에서 준 돈을 받고 결국 가책에 시달리다 분신자살로 생을 마감하려 했던 '서기정'이라는 인물도 현실 부적응자이긴 마찬가지이다. 아래는 '시몬'이 '서기정'의 분신 사실을 전하면서 '위준'에게 한 말이다.

"돈 삼백 받아묵었는갑더라. 어쩌겠냐, 병신 몸에다가 그래도 그놈의 것은 살아서 그새 또 새끼 하나 더 늘었지. 묵고 살 길 아득해서 받기는 받았는갑더라. 너라도 안 그러겠냐. 안 받겠다고 내빼도 자꾸 주겠다고, 줘야 쓰겠다고 끄드겨싸면 우선 보면 존 것이 돈인디 받아부렸제. 받아묵고는 났지만 그놈이 또 보통 꼬장꼬장헌 놈이 아녀. 지 마누라는 돈 몇 푼에 좋아 죽겄다만 지는 속이 팍 썩어문드러졌등갑더라. 술은 술대로 들어가고 속은 속대로 썩어가고. 지 마누라고 그런 서방 좋겄냐. 지 남편 몸 팔아 받은 돈 보따리에 싸갖고 날라부렀단다. 그래도 여자가 사람 꼴 낸다고 새끼들은 꼬랑지에 달고 갔등갑제. 요놈이 인자 마누라 없어졌제 새끼들 없어졌제 몸은 망가졌제, 불 댕기는 수 말고 뭔 수 있어?"

어느 면에서 '시몬'과 '서기정'이 보여주는 삶의 양태는 '위준'에게 일종의 '데자뷔(déjàvu)'일지도 모른다. 즉 '위준'이 자신의 열망을 포기하지 못하는 한 그는 결국 정신병원에 감금당하거나 아니면 스스로 목숨을 끊는 것 외에는 달리 방법이 없을 것이기 때문이다.

마지막으로 넝마주이 출신 털북숭이 '김치수'라는 인물이 있다. 그는 "징역 십 년을 때리는 군사재판소의 법관에게 고무신짝을 냅다 집어 던지던 의기 넘치고 푸근하고 넉넉한" 사람이다. 항쟁에 참여했다가 사십이 넘은 나이에 도시 변두리 벌판에 움막을 짓고 개를

치며 장가도 못 가고 홀몸으로 그렇게 살아간다.

물론 그 역시 술에 의지해 삶을 이어갈 수밖에 없다. 우선 밤이면 찾아오는 극심한 허리통증을 잊기 위해 마시기도 하지만, 항쟁 때 죽은 원혼들이 밤이고 낮이고 그의 집을 방문하면 그때마다 망자들과 밤이 새도록 술을 마셔댄다고 했다. 결국 그는 원혼들을 끼고 "겉은 장대한 기골이지만 속은 꺼멓게 썩어버린 고목"처럼 살아가면서 스스로를 유폐시켜가고 있는 것이다.

5.

이렇듯 어떠한 삶의 형태도 그에게 참조할 만한 것이 되지 못한다. 왜냐하면 그들이 연명해 가는 이 "세상이 온통 북새가 떠" 있는 탓이다. 북새란 많은 사람이 야단스럽게 부산을 떨며 법석이는 것을 의미한다.

북새와 비슷한 말이 난장이다. 이 난장을 그는 두 차례 경험하게 된다. 한 번은 폭행 혐의로 경찰서에 붙들려 왔을 때이다. 그가 보기에 조사를 받는 사람들은 가해자나 피해자, 피의자 모두 죄인이 돼버리는 경찰서 자체가 하나의 무차별한 공간, 난장에 지나지 않는다. 이어 분신해 버린 '서기정' 사건을 계기로 항쟁의 피해자들을 돈으로 매수하려는 정부에 대한 투쟁 대책을 논의하기 위해 항쟁의 주역들이 모이지만, 각자의 이해득실에 따라 이리 갈리고 저리 갈리는 모임 역시 난장이었다.

그렇다면 북새 혹은 난장의 기원은 무엇인가. 항쟁 당시 같이 총을 들었던 '소년'에게 그가 "이런 세상에 죄 아닌 것이 있냐. 이런 세상을 가만히 놔두고 있는 한은. 별이나 바람조차도."라고 했던 말 속에 이미 그 해답이 들어있다. 이 세상 자체가 하나의 죄(악)라는 사실, 그리고 그런 세상을 가만히 놔두는 이상 죄(악)의 영역으로부터 자유로울 수 있는 것은 아무것도 없다는 사실을 말하고 있는 것이다.

이 죄(악)로 인해 세상은 온통 북새이고 난장일 수밖에 없다. 그리고 거기에 서식하는 인간은 그 자체가 모욕이라는 점에서 서로 다를 바가 없다. 이 세상은 변함없이 죄(악)라는 사실을 '시몬'의 절규가 입증해 주고 있다.

"(…) 봐. 우리 같은 놈들 지금도 어느 누가 대접해 주냐? 부모자식간도 그러는데 남들이? 그때는 지금보다 더 심하지. 정말 죽겠더라. 총? 함성? 금남로? 아무것도 없었어. 연놈들을 꼭 붙어갖고 히히덕거리고 팝송은 찢어지고 불빛은 휘황하고 장사꾼은 오징어다리 사라 외치고. 변한 건 하나도 없더라. (…) 나만 빌어먹고 있었던 거야, 이 년 동안. 나와 보면 달라졌으리라 믿었지, 지미랄."

무언가 변했을 것이라고 믿었지만 아무것도 변한 것이 없다는 식의 '시몬'의 절규가 사실 이 작품의 주제라고 보아도 상관없다. 동시에 이 절규는 소설의 시작점이자 끝점이다. 공선옥의 「씨앗불」은 주인공 '위준'이 펼쳐 보이는 부끄러움의 내적 드라마와 그 드라마 사이에 끼어든 다양한 군상들의 삶의 모습을 통해 항쟁 이전이건 이후이건 달라진 것이 전혀 없는 사회에 대한 철저한 냉소와 비판을 담아낸 소설이다.

무등산의 옛노래
—「무등산」과 「춘산곡」

조태성

광주를 넉넉히 품고 있는 산, 무등산이다. 무등산은
예전에 무돌, 서석, 무당산, 무덤산 등으로 불렸다. 아직
정확한 것은 아니지만, 무등산의 명칭은 원래 '물돌'에서
비롯되었다고 한다. 서석대가 축축하게 물에 젖어있어,
물돌이라 하였다는 것이다. 여기에서 물돌이 무돌이
되었다가 다시 무등으로 되었다는 말이다. 이 무등은
다시 불교적인 의미에서 무등(無等)이라 불리기도 하였다.
한편으로는 무등산 정상에 서석이 있는 산이라고 하여
서석산(瑞石山)이 되기도 하였다. 이 밖에 무당이 많이
살아 무당산이라고 불렀다거나 무덤처럼 생겼다고 하여
무덤산이고 불렀다는 등 여러 가지 기원설이 있다. 이런
무등산 명칭 기원과 관련한 대표적인 전설 하나 소개한다.

조선 건국 태조가 등극을 해서 밤에 꿈을 하나
꾸었다. 꿈에 조선의 유명한 산신이 모두 모였는데,
지리산 산신령과 무등산 산신령만 불참했다. 지리산
산신령과 무등산 산신령이 이태조에게 복종하지
않았기 때문이었다고 한다. 옛날 지리산은 경상도의
지리산이었다. 지리산은 경상도의 일곱 고을이 속해
있었고, 전라도는 세 고을만 속해 있었기 때문이다.
그래서 이태조는 경상도의 지리산을 전라도로 귀양을
보내 이때부터 전라도 지리산으로 삼았다고 한다.
그리고 무등산은 순전히 전라도에 속해 있었기 때문에
별달리 귀양보낼 곳이 없었다. 그래서 이태조가
"너(무등산)는 등수에도 들지 않는, 아예 등외의

산이다."고 해서 이때부터 무등산이라 하였다.

이런 무등산에도 오래전부터 전해오는 노래가 있었다. 「무등산」이라는 노래이다. 하지만 그 노랫말은 안타깝게도 현재 전해지지 않는다. 이런 노래를 그 노랫말이 전해지지 않고 제목만 전한다고 하여 '가사부전가요'라고 부른다. 무등산을 중심으로 이 지역 주변에는 당시의 노래들이 대개 그 사연과 제목만 기록된 채 전해오고 있다. 이른바 백제의 가사부전가요라고 알려진 노래들을 소개한다.

먼저 「선운산」이라는 노래이다. 이 노래는 부역 나간 남편을 기다리며 선운산에 올라 부른 노래라고 전해온다. 다음은 「방등산」이다. 신라와 백제가 대척하던 시대 신라의 도적에게 잡혀간 아내의 노래로 알려져 있다. 그리고 「지리산」이라는 노래도 전한다. 백제왕의 유혹에도 전혀 굴하지 않겠다는 의지를 보여주는 노래이다. 이 세 노래와 함께 「무등산」은 백제의 가사부전가요로서 지금까지 전해지고 있다.

물론 「무등산」의 노랫말도 알 수 없지만, 오래된 기록에 이 노래와 관련된 사연이 적혀 있다. 관련 문헌에 따르면 무등산에 성을 쌓아 비로소 백성들의 삶이 안락하게 되었으므로 이를 축하하며 지어 부른 태평가라 하였다. 아마도 후백제 견훤에 의하여 무등산에 성이 쌓아지고 나서 태평성대를 기원하면서 불렀으며, 아울러 백제 부흥의 기치를 담은 내용이 아닐까 여겨지고 있다.

「무등산」을 필두로 이곳 무등산의 산세가 기운을 미치고 있는 광주와 인근 지역에는 수많은 노래들이 향유되어 지금까지 전해오고 있다. 한문을 사용하여 지은 한시와 기행문들은 물론 우리말 노래라고 할 수 있는 시조와 가사에 이르기까지 그 수를 헤아릴 수가 없다.

그중에서도 우리에게 가장 잘 알려진 시조를 택한다면 조선 중기 임진왜란 당시의 의병장이었던 김덕령(1568~1596) 장군의 「춘산곡(春山曲)」을 꼽을 수 있다. 이 노래는 또 필연적으로 권필(1569~1612)의 「취시가(醉時歌)」와도 연결된다. 어느 날 권필이 꿈을 꾸었는데, 여기에 취한 김덕령 장군이 나타나 자신의 심정을 노래로, 일명 취하여 부르는 노래로 하소연하였다는 이야기가 전한다. 이 노래를 권필이 다시 옮겨 전하는 노래가 「취시가」이다.

무등산 원효계곡 아래 자리 잡은 충효동 환벽당 인근에 취가정이라는 정자 하나가 서 있다. 이 정자는 김덕령 장군을 기리기 위해 후손들이 지은 추모의 장소이며, 현재 광주광역시 기념물 제1호로 지정된 곳이기도 하다. 이 정자에는 지금도 송근수(宋近洙)의 기문과 김만식의 상량문, 김문옥의 중건기 및 선조 때의 시인 석주 권필과 김덕령의 시 등을 새긴 현판이 남아 있다.

다음은 송근수가 쓴 「취가정기」의 일부이다. 이를 통해 취가정 건립과 관련한 일련의 상황들을 다소나마 파악할 수 있으며, 특히 권필의 꿈에 나타난 김덕령 장군의 심사를 헤아려 볼 수 있다.

광주의 석저방(石底坊)이라는 동네에 김덕령의 호를 딴 충장(忠壯)이라는 이름의 마을이 있다. 우리 조선의 정조대왕이 특별히 이 마을을 지정하여 그 이름을 충효라 부르게 하였다. 이 때문에 오늘날에 이르기까지 제향을 모시는 별도의 봉사인을 정하여 김덕령 장군의 후사를 주관케 하였다. 이런 일로 이 마을의 이름이 더욱 드러나 온 세상의 주목을 받게 되었다. 1890년, 여러 후손들이 옛터를 다시 일구어 조그마한 정자를 짓고 그 이름을 취가(醉歌)라 하였다. 취가라는 말의 의미는 '취하여 노래한다.'는 것으로, 이를 이름으로 삼은 까닭은 나름대로의 깊은 사유가 내포되어 있다.

옛날 석주(石洲) 권필(權韠)이 꿈속에서 장군의 모습을 보게 되었다고 한다. 이때 술에 만취한 장군이 비틀거리는 모습으로 나타나 "술에 취해 부른 노래 어느 누가 들을까 꽃과 달을 즐겨함도 나의 소원 아니지만 높은 공을 수립함도 나의 바람 아니로다. 공을 세운 그 업적도 구름처럼 사라지고 꽃과 달을 즐겨함도 쓸모없는 허사로다. 술에 취해 부른 가곡 어느 누가 알아줄까. 긴 칼 들고 일어서서 임금 은혜 갚으리."라는 한 편의 시가를 읊으며 그의 비장한 감회를 토로하였다.

살아있는 권필과 김덕령 장군의 영혼이 서로 만나는 그 당시의 광경은 거의 연조비가(燕趙悲歌)의 고사에 지지 않는 매우 울창한 기분이 감돌았을 것이다. 김덕령 장군의 노래를 들은 권필이 감격한 마음으로 만족감을 표시하며, "칼을 잡고 일어섰던 지난 옛날 장한 뜻이

중도에서 꺾였으나 운명인걸 어떠하리. 한이 서린 그
영혼이 지하에서 통고하며 마음속의 그 울분을 술에
취해 읊었도다."라는 한 수의 시를 지어 그의 영혼을
위로하였다. 김덕령 장군과 권필의 이러한 이세(異世)의
만남을 생각할 때 저절로 흐르는 눈물을 멈출 수 없다.
이에 여기에 이 정자를 짓고 또 그 이름을 '취가'라
한 일을 어찌 사리에 적합한 옳은 일이라 아니할 수
있겠는가.

　이제 이러한 사연, 살아있는 사람의 꿈속에 나타나
취해서까지 자신의 심정을 노래할 수밖에 없었던 김덕령
장군에 대해 좀 더 자세히 살펴보자. 김덕령 장군은
1567년(명종 22), 광주 석저촌(石底村)에서 태어났다.
환벽당의 주인이었던 사촌 김윤제의 증손자로, 형 덕홍과
함께 성혼의 문하에서 수학하였다. 현재 취가정이
위치한 아래쪽 마을이 지금의 충효동 즉 석저촌이다.
그의 생가터에는 생가임을 알리는 비석이 세워져 있고,
그를 기리는 사당이 있다.
　그가 태어난 석저촌은 꽤 유서 깊은 마을로 알려져
있다. 충효동과 가까운 담양군 남면 학선리에 '개선사지'란
절터가 있고, 이곳에는 9세기에 세워진 석등이 있다.
화사석에 새겨진 명문으로 유명한 석등에 '석보평(石保坪)'
이란 들 이름이 나온다. 석저촌이란 지명의 연원인
석보란 말은 600~700년경부터 이미 사용되었던 것으로
추정된다. 석저촌에서 태어났기 때문에 김덕령은

'석저장군'이라고도 불렸다. 그런데 왜군들은 이 별칭이 그의 고향 이름을 딴 것인지 모르고 돌 밑에서 태어난 사람인 줄 알았다는 재미난 이야기가 조선 후기 실학자였던 이긍익의 『연려실기술』에 전한다.

마을 앞에는 수령 400년 정도로 추정되는 왕버들 세 그루가 있고, 그 옆에는 김덕령 장군과 그의 부인의 충절을 기리는 비가 서 있다. 그의 부인이었던 흥양이씨는 정유재란 당시 담양 용면에 있던 보리암 인근 절벽에서 순절하였다. 왜적에게 쫓기자 굴복할 수 없다면서 이곳 절벽까지 와서 몸을 던져 스스로 목숨을 끊었던 것이다.

동네 사람들은 이 일대를 '비각 거리'라 부른다. 비각은 '조선국 증 좌찬성 충장공 김덕령 증 정경부인 흥양이씨 충효지리(朝鮮國 贈 左贊成 忠壯公 金德齡 贈 貞敬夫人 興陽李氏 忠孝之里)'라는 긴 이름을 가진 비석, 그래서 간단히 '정려비'라 부르는 비석을 보호하기 위해 세운 것이다. 너무 길어 세 줄로 나눠 쓴 비석의 긴 이름 만큼이나 비는 많은 사연을 담고 있다. 비에 새겨진 내용은 다음과 같다.

충용장군 김덕령은 의병을 일으켜 그 위엄과 명성이 일본에까지 알려졌으나, 모함으로 죽게 되었다. 그의 형 덕홍도 금산 전투에서 먼저 죽었고, 부인 이씨도 왜적을 만나 절개를 지키며 죽었다. (중략) 현종은 김덕령의 원통함을 씻어주고자 병조참의를 추증하였으며, 숙종은 병조판서로 다시 올리고, 의열이라는 이름을 내렸다.

정조는 1788년에 좌찬성으로 다시 올리고 충장이라는 시호를 내려주었으며, 이씨에게는 정경부인을 추증하고 덕홍에게도 지평을 추증하였다. 아울러 김덕령의 고향 마을을 충효라 이름 지어주고, 비석을 세워 이를 기렸다. (중략) 마을 이름을 충렬이라 하지 않고 충효라 한 것은 충렬의 마음이 효에서 나왔기 때문이다.

1788년 정조는 김덕령에게 '충장(忠壯)'이란 시호를 내리면서 왕명으로 그의 고향 석저촌을 '충효'라는 이름으로 바꾸도록 하였다. 지금 이 동네가 충효동으로 불리게 된 까닭이다. 그리고 그의 시호인 충장은 현재 광주광역시의 최대 번화가 중 하나인 '충장로'라는 거리명으로 되살아났다.

이제 김덕령 장군의 당대 사정으로 들어가 보자. 김덕령 장군은 임진왜란 당시 그의 형인 덕홍과 더불어 의병을 일으켜 왜적에 대항한 의병장으로 더욱 알려진 인물이다. 고경명 부대와 함께 왜적을 대항해 싸우다가 모친상을 당해 광주로 내려왔다. 그 와중에도 그는 의병을 모집하는 격문을 띄워 의병을 모으고 전투에 나서 큰 전과를 올렸다. 그러다가 권율 장군의 막하에서 반란군 이몽학과 내통했다는 억울한 누명을 받는다.

한 번은 김덕령 장군이 경상남도 진주에서 전투 준비를 마치고 전장에 나서겠다고 요청하였으나 묵살당한 적이 있었다. 바로 눈앞에 왜군을 두고서도 전장에 나서지 못하였으니, 그 울분이 어떠했겠는가. 그러나 그는 그 울분을 군기를 엄히 다스리는 일로 삭혔다. 그런데 선조 29년(1596) 어느 날, 김덕령 장군의 군기를 견뎌내지 못하고 그만 역졸을 죽이고 도망간 군사가 생겨났다. 그는 그 군사를 대신해 그 아비를 잡아들여 죄를 묻고 벌하였는데, 하필이면 그 군사가 당시 도체찰사 윤근수의 노비였다. 자신의 노비가 관련된 일에 도체찰사는 김덕령 장군에게 앙심을 품었고, 그는 거짓으로 상소를 꾸며 올려 김덕령 장군을 옥에 가두게 한 사건도 있었다.

같은 해 7월, 충청도 홍산 지역 근처에서 왕족 이몽학(李夢鶴)이 반란을 일으키자 김덕령 장군은 이를 진압하기 위해 의병을 모집하여 충청도로 상경하는 도중에 반란이 진압되어 되돌아갔다. 그러나 조정에서 반란군을 문초하던 중 최, 홍, 김이 적힌 패가 나오게 되었다. 이에 대해 더욱 심하게 반란군을 문초하니 그 고문에 견디다 못한 반란군의 졸개가 최담령, 홍계남, 김덕령 등 명망 있는 장수들의 이름을 거짓으로 자백하고 말았다. 이에 무과에 급제한 정식 장수이면서도 후방에 배치되거나 김덕령의 막하에서 종군했던 것을 불만으로 여기던 신경행이 김덕령 장군을 체포하였다. 그리고 8월 4일 반란수괴 이몽학과 내통했다는 죄명으로 압송당했고, 선조가 친히 국문을 열었다. 우의정 정탁 등의 구명과 탄원 노력에도 불구하고 모진 문초와 고문은 계속되었다. 선조는 그에게 6회 연속으로 직접 문초를 행하였으나 김덕령 장군은 그 혐의를 끝내 인정하지 않았고 억울함을 호소하였다.

『선조수정실록』에 따르면, 류성룡은 김덕령의 치죄를 신중히 따져가며 하도록 간하였으나 윤근수의 형제이기도 했던 서인 판중추부사 윤두수는 엄벌을 주장했다. 수백 번의 형장 심문으로 마침내 정강이뼈가 모두 부러질 정도로 혹독한 고문을 받은 김덕령 장군은 나이 서른도 채 되기 전 다시 서울로 압송되어 감옥에 갇히고 이어 혹독한 고문 끝에 장독을 견디지 못하고 곧 옥사하고 말았다.

선조 앞에 끌려가 국문을 당할 때 김덕령 장군은 통곡하며 호소했다. 역모의 뜻이 결코 없었음은 물론이요 그 자신이 죄가 있다면 오로지 난리 중에 돌아가신 어머니의 3년 상을 치르지 못해 효를 어겼다는 것이었다. 그러나 이런 호소에도 불구하고 김덕령은 약 20여 일에 걸친 형문과 모진 고문 끝에 결국 옥중에서 생을 마감하게 되었다.

그러나 그 억울함이 결국 밝혀졌던 때문이었을까. 그의 한은 정조가 직접 지어 하사한 「어제김충장유사서」에도 보인다. 정조는 여기에서 '하늘은 그를 내셨는데 사람이 액을 주고, 재주는 타고 났는데 쓰이는 길은 좁아 결국 무고한 탄핵'을 받았다고 언급하였다. 아래는 정조가 하사한 글의 일부이다.

(상략) 아, 충장공 같은 이는 어쩌면 그리도 불행했던가. 그가 태어난 시기는 국운이 한창 왕성하던 선묘 때였다. 그 당시 인재가 배출된 것은 거의 주 나라 무왕 때에

버금갈 정도였는데, 그가 그 뛰어난 용력과 세상을 요리할
만한 재목으로 칼을 짚고 용기백배한 군사들을 통솔할
때, 익호장군이니 석저장군이니 하여 조정에서 그를
중히 여기기 어떠했으며 또한 적국에서는 얼마나
꺼려하던 존재였던가. 그 강대하고도 충만한 기운을
절월을 잡고 전군을 지휘하는 데 조금이라도 써
보았더라면 연연산에다 공적을 새길 만도 하고,
능연각에 화상이 걸릴 만도 했을 뿐더러 임진왜란 때
8년 동안이나 그들로부터 치욕을 당할 까닭도 없었을
것이다. 애석하게도 하늘은 그를 내셨는데 사람이
액을 주고, 재주는 타고났는데 쓰이는 길은 좁아 결국
무고한 탄핵을 받은 무목, 악비처럼 억울함을 당하고
지금의 사람들이 술을 마시며 축하를 하게 한 장본인이
되었던 것이다. (하략)

　　현재까지도 김덕령 장군의 효성과 관련한 일화나
전설은 꽤나 많이 전해오고 있는 편이다. 그중 광주
인근 화순군에 있는 독다리마을과 그에 얽힌 전설이
대표적이다. 이곳에 있는 독다리에는 마을 앞에 맑은
물이 흘러 예부터 물고기가 많았다고 한다. 충장공
김덕령 장군이 부친의 약을 구하러 이곳에 내려와
숙부에게 말하니, "부종에는 가물치가 선약이다."고
하면서 냇가에서 잡으라고 하였다. 그리하여 누나와
함께 냇가에 당도하였는데, 하필 소나기가 내려 큰물이
일어나는 바람에 고기잡이는커녕 냇물을 건널 수도 없게

되었다고 한다. 이때 누나가 "나는 이 물에 다리를 놓을 테니 너는 고기를 잡아라."고 하며 치마에 큰 돌을 싸서 다리를 놓았다고 전한다. 이로써 마을 이름을 독다리라 하였다고 전한다. 전설에는 가물치라고 말하나, 실은 이곳 복천에서 유명했던 고기는 거기서 태어나 자란 은어라고 한다. 여기에서 김덕령 장군이 고기를 잡아 부모를 봉양하였다고 해서 김장군조대라고도 부른다.

김덕령 장군의 노래를 살펴보기 전에 그와 관련한 전설 하나 더 소개한다. 일명 '덩령이' 전설이다. 광주의 대표적인 향토 사학자였던 박선홍은 무등산을 말할 때 충장공 김덕령 장군을 떼어놓을 수 없다고 했다. 그만큼 무등산의 돌 하나, 봉우리마다, 골짜기마다 그의 전설이 담겨 있기 때문이다. 그는 민초들의 가슴속에 영원한 구국의 영웅으로 새겨져 있지만, 나무꾼이나 나물 캐는 아녀자들의 입에 오르내릴 때는 '덕령이', '덩령이'라 불리게 된다. 그만큼 '덕령이'는 광주 사람들의 의식 저변에 친근하게 용해되어 있는 영원한 벗이었던 것이다.

어느 날 김덕령을 임신 중이었던 그의 어머니가 동료 아낙들과 빨래를 하고 있었을 때, 갑자기 호랑이가 나타나 몸종을 물려고 하자 김덕령의 어머니가 호랑이를 막았는데 호랑이가 김덕령의 어머니에게 감히 덤비지 못하고 물러갔다고 한다. 이후 고승에게 물어보니 "뱃속에 있는 아이의 기운이 워낙 강해서 호랑이가 덤벼들지 못했다."라고 설명해 주었다고 한다.

김덕령은 날 때부터 눈을 뜨고 울지도 않았다고 한다. 힘이 엄청 세어서 다리가 묶인 채 무릎만으로 담을 뛰어넘었다고 한다. 화가 나면 눈에서 불이 날 것 같은 안광을 내뿜었는데, 이 눈을 보면 아무리 기운이 센 사람도 견디지 못하고 쓰러졌다고 한다. 14살 되던 해에는 마을에 나타난 호랑이를 맨손으로 때려잡았는데, 이후 총 3마리의 호랑이를 맨손으로 잡았다고 한다.

임진왜란이 일어나자 의병을 일으켰는데, 피난 중이던 광해군을 구해 익호 장군이라는 호칭이 붙었다. 워낙 무력이 출중하여 왜군은 김덕령이 있는 곳에는 얼씬도 못했다고 한다. 의병장으로 활동하던 당시 유정(惟政) 스님에게서 왜장 가토 기요마사(加藤淸正)가 조선의 정기를 끊기 위해 일본에서 요괴를 불러들였다는 이야기를 듣고 기요마사의 진영에 단신으로 침투하여 철추로 왜적을 쓰러뜨리고 별량고에 불을 붙여 적진을 혼란스럽게 한 다음, 조선인 하녀의 도움으로 야만바(山婆)라는 요괴를 잡았다고 한다.

특히 임진왜란과 관련해서 고전소설 『임진록』에서는 김덕령이 함경도 사람이라고 나오며, 키가 9척이라고 하였다. 그러나 실제로는 김덕령이 덩치는 작지만 용력이 뛰어났다는 기록들이 많다. 1965년 광산김씨 문중이 이장하기 위해 관을 열었을 때 김덕령의 신장은 160cm 정도였다고 한다.

이 소설에는 김덕령의 최후에 관한 대목도 있다.

능력이 있으면서도 나라를 위해 싸우지 않았다는 조정
신료들의 규탄이 발생해 결국 압송당해 참수당했다는
것이다. 당시 칼로 목을 내리쳤는데 목은 멀쩡하고 칼만
부러졌다. 그러자 오히려 김덕령이 "소인의 겨드랑이에
있는 비늘을 걷어내고 치소서."라고 말했다. 사람들이
그의 겨드랑이를 살피니 정말 용의 비늘이 있었고,
그 비늘을 떼어내고 목을 치자 그제야 죽고 말았다는
대목이 그것이다.

이제 김덕령 장군의 한이 서린 노래 「춘산곡」과
「취시가」 등을 살펴보자. 다음은 「춘산곡」 전문이다.

춘산의 불이 나니 못다 핀 꽃 다 붙는다
저 뫼 저 불은 끌 물이나 있거니와
이 몸의 내 없는 불 일어나니 끌 물 없어 하노라

이 노래는 김덕령 장군이 옥중에 있을 때 지었다는
시조이다. 억울한 일을 당한 그의 처참한 심경이 생생하게
드러나 있다. 가슴 속에 터질 듯 억울한 덩어리 하나
품고, 그 덩어리가 불덩이가 되는 지경에 이르렀어도
헤아려주는 이는 아무도 없었다. '정치야 고금을 막론하고
그런 것이겠지.'라고 이해하려 해도, 백성과 나라를 위한
순정이 처절히 짓밟히고 마는 데야 더 이상 할 말이 없다.

전하는 이야기에 의하면, 억울하게 옥사한 김덕령이
권필의 꿈에 나타나 술에 취해 자신의 억울함을 하소연
하는 노래, 일명 「취시가」를 지어 부르자, 이에 권필이

노래로 화답하며 위로하였다고 한다. 권필은 김덕령
장군이 생전에 친하게 지냈던 송강 정철의 제자 중 한
사람인데, 그의 호방함을 김덕령 장군도 익히 알고 그의
꿈속에 들어갔을 것이다. 아래는 그 노래의 원문이다.

한 잔 하고 부르는 노래 한 곡조, 醉時歌
이 노래 듣는 사람 아무도 없네. 此曲無人聞
나는 꽃이나 달에 취하고 싶지도 않고 我不要醉花月
나는 공훈을 세우고 싶지도 않아 我不要樹功勳
공훈을 세운다니 이것은 뜬 구름 樹功勳也是浮雲
꽃과 달에 취하는 것 또한 뜬 구름. 醉花月也是浮雲

한 잔 하고 부르는 노래 한 곡조, 醉時歌
이 노래 아는 사람 아무도 없네. 此曲無人知
내 마음 다만 긴 칼로 명군을 받들고자
我心只願長劍奉明君

장군께서 예전엔 칼을 잡으셨으나 將軍昔日把金戈
중도에 큰 뜻 꺾이니 운명을 어찌하리오 壯志中催奈命何
돌아가신 그 넋 그 끝없는 한이여 地下英靈無限恨
분명 이 곡조는 취시가일러니 分明一曲醉時歌

김덕령 장군에 관한 노래는 현재에도 이어지고 있다.
고은 시인의 『만인보』 7권에는 그를 다룬 시가 있다.
제목은 그대로 「김덕령」이다. 「춘선곡」의 노랫말을 빌려와

그 현재적 의미를 다시금 되새기게 한다. 아래 그 원문을 옮겨 감상하고, 다시 읊조리는 것으로 이 글을 마친다.

풍신수길의 왜군과 한판 싸워
그렇게도 빛나던 젊은이
누구와 내통했다고 무고당하여
장독으로 감옥에서 죽었다
죽기에 앞서 어찌 시조 한 가락 없을쏜가

춘산에 불이 나니 못다 핀 꽃 다 불붙는다
저 뫼저 불을 끌 물이나 있거니와
이 몸에 내 없는 불 일어나니
끌 물 없어 하노라

그 젊은이 전설에 실려
죽은 뒤
살아나
갈재에도 나타나고
광산들 나타났다

그런 시절 지나
내일도 내일모레도
무등산 밑
그 시퍼런 넋의 고장 빛고을 부디 환하거라

참고문헌
광주직할시, 『누정제영』 하,
태양사, 1992.
조태성, 『환벽당 취가정
풍암정』, 도서출판 심미안,
2018.

김태오가 들려주는 광주 이야기

이동순

광주를 찾아오는 사람들에게 꼭 가봐야 할 곳을
추천해야 한다면 어디를 가보라고 하고 싶은지 생각해
봐요. 그리고 그곳을 상상해 봐요. 나는 어디를
가보았고 어디를 추천하고 싶은지 말이에요. 광주의
사람들 대부분이 그렇듯이 가장 먼저 떠올린 곳은
아마도 무등산이겠죠. 그리고 또 어디가 있을까요. 음음
금남로, 충장로, 구)전남도청, 5·18국립묘지, 그리고
증심사 등이 아닐까 싶은데요. 또 양림동, 동명동도
있네요. 여러분이나 저나 마찬가지로 떠올린 곳은
비슷할 겁니다. 그런데 말이죠. 지금 우리가 알고 있는
광주는 100년 전의 광주와 얼마나 같고 다를지 상상해
본 적이 있나요? 시간이 많이 흘렀고 많은 것이 변했을
테니 옛날 광주의 모습을 떠올리기 어렵고 상상이
안 되는 건 어쩌면 당연한 일입니다. 그래서요. 100년
전의 광주를 잘 보여주는 시 한 편 읽어볼게요. 그러면
그때의 광주 모습을 조금은 상상할 수 있지 않을까요.

동무여!
그때가 발서 옛날이엇구려!
『아까시야』 욱어진 楊林숩속으로 거닐면서
꽃 香氣맡으며 노래부르노라면
매암이는 덩달어서 가닥으로 어우러질 때
우리는 다시금 발을 돌리어
웃텅을 벗어붙인채 불모래 강변을 내달어
물속으로 와닥닥 뛰어들어가—

헤염치며 크나큰 波紋을 일으키고
물장구치고 물싸홈하고 그리고 또—
물을 한숨에 쑥 드리켰다가 확 내품어 버리면
七色 무지개 아름답게 설 때에
우리는 손뼉치며 뛰지 안엇는가요
앗다 벌거벗고 자유롭게 놀던 그때 말이어요
동무여!
그때가 발서 옛날이엇구려
(중략)
솜뭉치같은 하—얀 눈송이가
시름없이 퍼붓는 어느 겨울날—
학교에 가서 여러 동무들과 눈싸홈하고
집에 도라와서 동무와 같이 눈사람 만들어 놓고
이웃집 아이들에게 자랑하던 그때라던지
여러 동무들이 방망이 몽둥이
잡히는 대로 메어들고 씩씩하게
산에 뛰올나 노루며 토끼잡든 그때
앗다! 기운차게 뛰며 놀던 그 無等山말이어요

—「회고의 정」 부분[1]

이 시를 쓴 사람이 누군지 혹시 아는 분이 있을까요?
이분은 광주에서 태어나서 자랐고 소년운동과
기독교청년운동 그리고 항일운동을 했던 김태오입니다.
이름이 낯설어서 잘 모르시겠죠. 그도 그럴 것이

1
김태오, 「懷古의 情」, 『동광』,
1931. 5.

1930년 초반에 서울로 올라간 뒤에 한동안은 작품을 썼지만 학자로서 삶에 매진하면서 문학장과는 거리를 두고 살았으나 당연합니다. 그런데 이 시를 쓴 김태오는 근현대 광주의 첫 시인입니다. 그러니 그의 시적 출발도 광주였고 시의 종착점도 광주였다고 할 수 있습니다.

시 「회고의 정」이 1931년 5월에 발표되었으니까 90년이 조금 넘었네요. 김태오 시인이 1903년에 태어났으니까 그의 나이 서른 즈음에 썼다는 것을 알 수 있습니다. 그런데 옛날을 회고하고 있으니 아마도 어린 시절부터 보고 느끼고 살았던 지금으로부터 100년 전쯤 광주를 그려볼 수 있겠네요. 이 시에서도 그렇지만 그의 작품에 자주 등장하는 공간은 단연 '양림'과 '광주천'과 '무등산'입니다. 양림은 지금의 사직공원 주변의 동산으로 양림동이라고 생각하면 되겠습니다. 양림은 소년 김태오가 동지들과 함께 양파정에 올라 소년운동을 시작한 곳이 있는 곳이기도 합니다. 소년운동은 소년들이 운동의 주체가 되어 어린이의 계몽에도 앞장서면서 실천 가능한 것부터 하나씩 해나간 운동이었습니다.

그러니 소년운동을 시작한 양파정에 오르면 바로 앞에 광주천이 유유히 흘렀으니 김태오의 시에 광주천이 등장하는 것은 아주 자연스럽다고 하겠습니다. 태어난 곳도 광주천에서 가까운 금계리(금동, 구시철 사거리 근처)였으니까요. '광주천'은 지금은 물놀이할 수 없는 곳이 되었지만, 어린이들이 '웃통'을 벗고 물장구를 치며 벌거벗고 놀았던 곳이라는 데서 그때는 수정처럼 맑은 물이 흘렀다는 것을 알 수 있습니다. 그리고 광주를 대표하는 공간 '무등산'에서는 친구들과 신나게 뛰어놀면서 노루를 잡으러 뛰어다녔고, 토끼몰이하러 뒹굴었던 곳이기도 했네요. 여러분도 이런 경험을 할 수 있다면 좋겠지만 양림동의 사직공원은 옛 모습이 많이 남아있기는 하지만 아카시아 우거진 숲이 아닌지 오래고, 광주천은 물놀이할 만큼 맑은 물이 흐르지 않습니다. 무등산만은 변함없이 그 자리에서 광주를 품어 주고 있습니다만 국립공원으로 승격되어 노루를 잡거나 토끼몰이를 할 수 없게 되었습니다.

시 「회고의 정」 뿐만 아니라 그가 쓴 많은 시에는 광주에서의 추억과 향수로 가득 차 있습니다. 다음의 글에서는 광주의 역사를 가슴에 안고 있는 그를 보게 되는데요. 다소 길지만 그가 품은 광주의 모습을 가늠해 보면서 역시 옛 광주를 상상해 봐요.

오늘은 달 밝은 밤, 그리고 八月 秋夕이다. 아직 南國에는 기러기의 消息은 없으나, 제법 싸늘한 바람에 寒氣가 도는 품이 北天에서 기룩기룩 달 밝은 밤, 높다란 秋空을 훑고 그야말로 맑은 主人公인 기러기가 날러오는 듯한 맑은 밤이다. 그기에 나는 밤잠을 이루지 못하고 두 벗과 가치 瑞石城 문허진 옛터 社稷壇에 올라 울적한 懷抱를 씻으러 햇던 것이다.

秋夕달 하루밝기로
楊波亭에 오르놋다
문허진 옛城터에
明月따라 逍遙할제
풀숲에 귀뚜라미만
구슬프게 울더라

光州川 구비지고
無等山이 높앗는데
金忠壯 어데가고
鄭錦南은 어데갓노
蒼空에 一輪明月도
수심짓고 가니라

이러한 卽興詩를 지어 보며 옛날의 歷史的 遺跡을
더듬어 보는 이 나의 가슴에는 싸늘한 傷處를 남길
뿐이다.

하얀 달빛은 자최없이 大地 우에 떨어지고 잇고나.
그리고 저편 老松이 푸르른 곳에 달빛이 새여 나리여
꿈같은 그림자를 던지고 잇고나. 불어오는 가을바람에
솔닢이 洋琴을 치고, 온갖 잡풀 욱어진 풀에서 가을의
뭇버레들이 애닯은 심포니를 演奏하고 잇다. 眞珠 같은
이슬방울이 반짝반짝 光彩를 내는 풀밭을 거닐고
잇을 때, 달빛은 유난히도 히고 푸른 빛으로 이 땅을
노려보고 잇더구나. 뭉게뭉게 서리어 깊은 잠 속에 빠진

듯한 그윽한 밤이다. 나는 다시금 발을 돌리어 不動橋
쇠다리에 앉은 몸이 되었다.

푸른 밤 그 中에도 맑은 달밤 힌빛과 푸른 빛으로
繡노은 듯한 맑은 月影이 물 우으로 떨어지는구나.
그리고 가벼운 微風이 살살 물 우로 기어가는구나. 달은
물 우에서 하늘하늘 춤을 추고, 물결은 金波銀波를
이루며 실줄기 같은 문의를 짓고 노래하며 흘러가면서
잇구나.

(중략)

아! 맑은 달밤이다. 더럽고 밉고 거문 것은 다 쫓기고,
푸른 빛 맑은 빛으로 씻은 맑고 푸른 밤이다. 물아!
끝없이 흐르라. 달아! 한없이 맑고 푸르라. 달은 웃고,
물은 노래하고, 나뭇가지는 춤추리라.

아! 거룩한 달밤. 聖母 마리아와 같은 聖靈이 나타나
愛와 平和를 속삭이는 듯한 神秘로운 달밤이다. 저쪽
楊林 건너편에는 자는 듯 꿈꾸는 듯한 蒼白한 실안개가
감돌고 잇는 밤이로구나.(下略) ―秋夕날밤에

―「예 城터의 仲秋明月」 부분[2]

이 글은 김태오가 중앙보육학교(현 중앙대학교)
교수로 있을 때 쓴 것입니다. 추석을 맞이하여 광주에
내려와서 쓴 글이라고 할 수 있는데요. 그는 친구
2명과 함께 '瑞石城 문허진 옛터 社稷壇에 올라 울적한
懷抱'를 풀고 '옛날의 歷史的 遺跡을 더듬어' 즉흥적으로

시도 썼네요. 즉흥시에는 역사의 뒤안길을 걷는 이의
쓸쓸함과 애닲픔의 '수심'이 가득합니다. 시간이 흐른
뒤에도 기억할 역사가 있다는 것을 보여주고 있습니다.
'서석성'이 무너진 터에 사직단이 있 다는 것을 알 수
있습니다. 앞의 시의 양림숲이 바로 사직단이 있었다는
것을 지금 사직공원이라고 부르고 있는 데서도
확인이 됩니다. 추석날 밤에 서석성 터를 회한하다가
이내 수심을 걷어내고 광주천에 스민 달빛과 대화를
나누고 있네요. 이 대화에는 추석날 밤 풍경과 하나 된
아름다움이 그대로 담겨 있습니다.

　'不動橋 쇠다리'에 앉아서 바라보는 광주천에는 달이
만나 빚어낸 푸른 밤, '맑은 달밤 힌빛과 푸른 빛으로
수노은 듯한 맑은 月影이 물 우으로 떨어지는구나.
그리고 가벼운 微風이 살살 물 우로 기어가는구나. 달은
물 우에서 하늘하늘 춤을 추고, 물결은 金波銀波를
이루며 실줄기 같은 문의를 짓고 노래하며 흘러가면서
잇구나.'라고 달밤의 아름다움을 극적으로 표현, 달빛과
광주천의 조우를 결 고운 언어로 빚어내고 있습니다.
'부동교'는 지금도 그 자리에서 광주 시내와 양림동을
이어주며 옛이야기를 품고 있답니다.

　그런데 이 시를 읽으면서 혹시라도 지금의 광주천을
떠올리신 것은 아니겠죠. 100년 전 광주천은 수정처럼
맑은 물이 흘렀고 강줄기처럼 굽이굽이 곡선을 이루며
작은 모래톱이 쌓여 있었다고 상상이 되시나요. '십
년이면 강산도 변한다' 했듯이 변하지 않은 것은

없습니다만 조금씩 바뀌기는 하였어도 김태오 글 속에서 만났던 무등산, 광주천, 양림숲은 그 자리에서 지줄댔던 이야기를 품고 있을 겁니다.

김태오는 설강(雪崗), 눈뫼, 정영, 설강산인 등의 필명을 쓰기도 했답니다. 필명도 자세히 보면 하얗게 눈이 쌓여 있는 무등산의 모습에서 따온 것이라고 할 수 있겠네요. 사실 김태오를 잘 모르겠지만 그는 광주기독교소년회와 광주기독교청년회, 광주청년연맹, 광주소년척후대, 신간회 광주지회에서 활동했던 분입니다. 그는 민족운동의 연장선으로 동요를 쓰면서 동요창작법을 정착시켜 나갔고 시와 평론을 쓰기도 하였죠. 일제강점기는 아동문학이 탄생하여 전성기를 맞은 시기였답니다. 어린이 전문잡지가 많이 발행되었고 소년·소녀들이 잡지의 독자이면서 창작자였으니 어떻게 보면 당연해 보이기도 합니다. 「고향의 봄」을 쓴 이원수나 「강아지」를 쓴 김태오나 「자전거」를 쓴 목일신이나 「설날」을 쓴 윤석중이나 모두 소년들이었으니까요. 그 소년들은 소년운동의 주체가 되었는데 대표적인 사람 중의 한 면이 김태오이기도 합니다. 그는 아동문학가이자 시인이며 비평가로 방정환, 정지용, 윤극영과도 함께 했습니다. 1933년에 『설강동요집』을 냈고 1939년에 시집 『초원』도 냈습니다. 그의 동요 중에 널리 알려진 것은 「강아지」와 「봄맞이 노래」인데요.

동무들아 오너라 봄맞이가자
너도나도 바구니 옆에끼고서
달래냉이 씀바귀 나물캐오자
종다리도 높이떠 노래부르네

동무들아 오너라 봄맞이가자
시냇가에 앉아서 다리도쉬고
버들피리 만들어 불면서가자
꾀꼬리도 산에서 노래부르네

─「봄맞이 가자」 전문

　농촌의 봄날 풍경 중의 하나를 잘 잡아낸 동요가
「봄맞이 가자」인데요. 지금은 잘 부르는 동요는
아닙니다만 옛날 풍경으로 간직해도 좋겠습니다.
"우리집 강아지는 복슬강아지/어머니가 빨래가면
멍멍멍/쫄랑쫄랑 따라가며 멍멍멍"(「강아지」)도
시골집에서 마당에서 기르던 강아지들이 꼬리를 흔들며
따라다니던 추억이 되살아나게 하는 동요입니다. 요즘
반려견을 기르는 집이 많은데 동요를 부르고 있지
싶습니다. 이 동요를 안다면 불러봐도 좋겠습니다.
그리고 가곡으로 알려진 「달밤」은 시집 『초원』에
실려있습니다. 김태오가 남긴 작품마다 광주에 있는
공간과 역사가 있습니다. 젊음을 바쳤던 광주를 떠난
서울에 머무는 바람에 광주에서 잊힌 사람이 되었지만

작품 속에는 광주 이야기가 참 많이도 담겨 있습니다. 그러니 광주를 떠난 적이 없는 시인이라고도 할 수 있겠습니다.

어때요. 100년 전 광주, 이제 좀 상상이 가나요. 이렇듯 작가가 나고 자란 공간은 작품이 되고 작품은 또 남아서 기억하게 하고 알게 합니다. 이제 광주를 찾아오는 사람들에게 광주를 좀 알려줄 수 있게 되었는지 모르겠습니다. 그럼 나머지는 여러분이 직접 가보고 걸어보며 상상하고 기록으로 남겨보세요. 여러분의 글이 또 100년 뒤의 광주를 알게 하고 상상하게 할 테니까요.

거리에 새겨져 있는 광주의 항일 의병

박세인

1. 들어가며

거리는 다채로운 서사가 끊임없이 생성되는 공간이다. 삶을 영위하기 위한 경제적 활동이 이루어지기도 하고, 신념을 실천하기 위한 연대가 일어나는가 하면, 사사롭게는 온갖 만남과 이별이 켜켜이 쌓여 가는 곳이다. 오랜 시간이 흐르며 외양이 달라지긴 했어도 거리는 제 자리를 굳건히 지키며 지금도 여전히 우리에게 길을 내어주고 있다. 우리나라가 거리의 소재(所在)를 보다 구체화하여 근대적인 방식으로 명명하기 시작한 것은 1910년 한일합병 이후부터다. 일제가 근대적 토지제도 수립을 명목으로 전국의 토지를 조사한 후 토지에 지번을 부여했는데, 이것이 근대적 주소 체계의 시작이다. 이 같은 주소 체계를 '지번(地番) 주소'라 한다. 토지에 지번을 부여한 것은 우리나라의 토지를 수탈하고 조세를 징수하기 위한 일제 식민지 경제 정책의 일환이었다고 볼 수 있다.

일제에 의해 도입된 지번 주소는 이후 100여 년 동안 우리나라의 주소 표기 방식으로 사용되다가 2000년대 들어 '도로명 주소' 체계로 변경되었다. 우리나라 경제가 급격히 발달하고 인구가 증가하면서 과거에 비해 토지의 분할이나 합병이 빈번하게 일어나게 되어 기존의 지번 주소로는 정확한 위치를 찾는 데 어려움이 많아졌기 때문이다. 이는 장소에 대한 신속한 대응력을 약화시킴으로써 여러 사회적 문제를 야기하는 원인이 되기도 했다. 이러한 지번 주소의 문제점을 해소하기 위해 새로운 주소 체계인 도로명 주소를 마련하고, 2014년부터 이 주소 체계를 전면 시행한 것이다. 도로명 주소 체계는 도로에는 이름을 붙이고, 건물에는 도로에 따라 규칙적으로 번호를 부여하여 도로명과 건물번호로 주소를 표기하는 방식이다.[1] 새 주소 체계에서 눈에 띄는 점은 과거 지번 주소는 거리의 번지만 표기했다면, 도로명 주소에서는 우리가 오가는 모든 거리에 이름이 명명되었다는 것이다.

도로명 주소 체계화 사업이 전국적으로 진행되면서 광주의 거리에도 새로운 이름이 부여됐는데, 이 과정에서 지역의 역사적 인물에서 유래된 이름을 얻은 거리들이 크게 늘었다. 이 중에서 특히 주목할 만한 몇몇 거리들이 있는데, 죽봉대로·서암대로·대천로·금재로·설죽로 등이다. 이들 다섯 거리의 명칭은 각각 죽봉(竹峰) 김태원(金泰元), 서암(瑞菴) 양진여(梁振汝), 대천(大川) 조경환(曺京煥), 금재(錦齋) 이기손(李起巽), 설죽(雪竹) 양상기(梁相基)의 호에서 비롯되었다. 그런데 이 다섯 거리의 주인공들에게는 공통점이 있다. 다섯 명 모두 정미 7조약이 일본에 의해 강제 체결되고 대한제국 군대가 해산된 1907년부터 한일합병으로 국권을 상실한 1910년 사이에 광주·전남 지역을 중심으로 활동한 의병장이라는 점이다. 전통 시대와 근대가 교차하고, 일제의 침략 야욕이 노골화된 역사적 격변기에 이들은 왜 의병이라는 험난한 길을 선택했을까? 오늘날 광주의 거리에서 이들을 호명하는 이유는 무엇일까? 다섯 의병장이

1
광주광역시청, https://www.gwangju.go.kr/build/contentsView.do?pageId=build110(검색: 2022. 11. 4.)

걸어온 삶의 자취를 통해 이 질문의 답을 찾아보자.

2. 광주 거리에서 만나는 항일 의병의 길

1) 죽봉 김태원의 길, 죽봉대로

죽봉대로는 서구 농성동 농성교차로와 북구 운암동 동운고가 북쪽의 교차로를 연결하는 도로로서, 죽봉 김태원(1870~1908)의 호에서 유래된 도로다. 김태원은 1870년(고종 7) 9월 16일 지금의 전라남도 나주시 문평면 북동리에서 태어났다. 김태원이라는 이름 외에 김준(金準)이라는 이름을 사용하기도 했는데, 자료에 따라 김준을 이름으로, 태원을 자(字)로 기록하기도 한다. 김태원의 동생인 김율도 의병장으로 활발히 활동하였는데, 일제가 '거괴(巨魁)'라고 표현할 만큼 두 형제는 빼어난 항일 투쟁을 벌였다.[2]

김태원의 의병 활동은 1907년 10월 기삼연을 중심으로 결성된 '호남창의회맹소'에 참여하면서부터 본격적으로 전개되었다. 호남창의회맹소는 장성·나주·함평·영광·고창 등 전라도 서북지역에서 활동한 여러 의병부대가 통합하여 결성된 의진(義陣)으로[3] 1907년 이후 호남 지역 의병 활성화에 결정적인 기여를 했다는 평가를 받고 있다. 호남창의회맹소는 전투를 직접 수행하는 조직과 전투를 지원하는 조직으로 구분되는데,[4] 김태원은 전투 조직의 선봉장이 되어 장성·나주·담양·함평·광주 등지에서 맹렬하게 활동하며 일본군에게 큰

2
한국학중앙연구원, 『디지털광주문화대전』, 「김태준」, http://gwangju.grandculture.net/gwangju(검색: 2022. 11. 4.). *이하 한국학중앙연구원의 『디지털광주문화대전』에서 인용한 자료는 온라인 주소를 생략함.

3
홍영기, 『대한제국기 호남의병 연구』, 일조각, 2004, 231쪽.

4
홍영기, 앞의 책, 222쪽.

피해를 입혔다. 이후 김태원은 의병 활동 지역의 확장을
위해 호남창의회맹소에서 분진하여 영광·나주·함평·무안
지역을 중심으로 독자적인 활동을 펼쳐 나갔다.

1908년 1월 일본군은 김태원을 비롯 호남창의회맹소
중심의 의병들을 소탕하기 위한 대규모 군사 작전을
전개하였다. 이때 김태원 부대는 일본군 요시다 카츠산신
[吉田勝三郞]이 지휘하는 광주수비대에 쫓기다가 담양군
창평현의 무동촌(현재 담양군 남면 무동리)에서 전투를
벌이게 되었다. 김태원은 근처에 주둔하고 있던 동생
김율의 의병 부대와 함께 격렬히 항전하여 지휘관인
요시다를 참수하고 그의 부하들을 사살하는 큰 승리를
얻었다. 이후 의병 부대 이름을 '호남의소(湖南義所)'로
바꾸고 무장 투쟁을 더욱 강화하여 장성 등지에서
일본군에게 큰 승리를 거두기도 하였다. 이러한 활약이
계속되자 김태원 부대에 대한 탄압의 강도가 더욱
심해졌으며, 결국 1908년 4월 25일 광주 어등산에
주둔해 있다가 일본군의 기습을 받게 되었다. 당시
김태원은 지병이 악화되어 몸을 움직이기 어려운 상태
였음에도 20여 명의 부하들과 함께 끝까지 일본군에
맞서 싸우다 장렬하게 전사하였다.

김태원은 유격 전술에 뛰어났는데, 의병의 규모를
최소화하여 잘 훈련된 정에 의병들로 유격 작전을
성공적으로 수행했다. 그의 기동력과 전투력은 일본군
에게도 유명하여, 김태원의 의병부대에 대해 "동작이
기민하여 신출귀몰, 군대와 경찰의 두통거리"라는

평가가 있었다.[5] 그런가 하면 일본군이 의병을 만나면 어느 군사인지 물어보고 김태원의 군사라고 말하면 슬그머니 도주했다는 이야기가[6] 전할 정도로 빼어난 전략과 담대함을 갖춘 의병장이었다. 김태준의 이러한 의병 활동을 기리기 위해 그의 동상이 서구 농성동 광장에 세워져 있다.

2) 서암 양진여와 설죽 양상기 부자(父子)의 길, 서암대로와 설죽로

양진여와 양상기는 부자 사이로, 두 사람 모두 광주에서 의병장으로 활동하다 일본군에 체포돼 같은 해에 순국하였다. '서암'은 양진여(1862~1910)의 호로서, 서암대로는 북구 운암동 동운고가 북단 교차로와 풍향동 서방사거리를 연결하는 도로이다. '설죽'은 양상기의 호인데, 설죽로는 북구 신안동에 있는 신안교에서 시작하여 오치동 신용교를 경유하여 일곡동까지 이르는 6차로의 넓은 도로이다.

양진여는 1862년 5월 11일 광주 서양면 니동리 (현재 서구 벽진동)에서 태어났다. 평민 출신 양진여는 당시 학자 출신 의병장들과 다른 독특한 이력이 있다. 바로 1904년부터 1907년까지 담양·장성·창평·광산·나주·순창· 영광·고창 등 10여 곳에서 주막을 운영한 것이다. 다양한 사람들이 드나드는 주막을 통해 시국의 주요 정세와 일본군의 동향에 대한 정보를 수집하려는 목적이었다. 양진여는 1908년 7월 광주에서 격문을 배포한 뒤

5
홍영기, 앞의 책, 258쪽.

6
윤현석, 「<新 호남 의병 이야기 30> 호남창의회맹소 선봉장… 담양·나주·함평·장성서 맹활약」, 『광주일보』, 2022. 3. 31., http://kwangju.co.kr/ article.php?aid=164872260 0736035322.

의병을 모아 거병한 후 의병장으로 추대되었으며[7] 이후 광주·장성·담양·창평 등에서 주로 활동하였다.

1908년 11월 양진여는 일본군 광주수비대를 담양 대치로 유인하여 섬멸하려는 계획을 세우고, 주변 의병부대에 지원을 요청하여 900여 명 규모의 의병 연합부대를 결성하였다. 이윽고 벌어진 전투에서 일본군을 광주로 퇴각시키는 큰 승리를 거두었다. 그러나 바로 이어 야마다[山田] 소위의 지휘를 받은 일본군 토벌대의 기습 공격을 받아 추월산에서 격전이 벌어지게 되었다. 이 싸움에서 연합 의병군은 많은 전사자를 내며 심한 타격을 입었고, 양진여 부대 또한 세력이 크게 약화되었다.[8] 그럼에도 양진여는 여기서 멈추지 않고 1909년 2월 100여 명의 의병을 이끌고, 강판렬(姜判烈)·전수용(全垂鏞) 부대 등과 연합 의병군을 구성하여 총대장으로 추대되었다. 연합 의병군은 광주의 일본군 본진을 공격할 것을 목표로 세웠으나 일본군이 대규모 병력을 이미 배치한 상황이어서 결국 실행하지는 못하였다. 양진여 또한 총대장이었음에도 지병과 부상으로 전투를 지휘하기 어려운 상황이기도 했다.

이와 같이 호남 지역 의병의 격렬한 저항이 계속되고 이로 인해 일본군의 피해도 심해지자 일본군은 1909년 7월 이후부터 10월 사이에 전라도와 광주 지역 의병들을 진압하기 위해 이른바 '남한폭도대토벌작전'이라는 군사작전을 펼쳤다.[9] 이 군사 작전으로 인해 당시 호남 지역에서 활동하던 의병부대는 의병장을 포함한 420명이

7
류복현 편, 『광산지역의 의병활동과 어등산』, 광산문화원, 2010, 132쪽.

8
최혁, 「전라도 역사 이야기-41. 양진여·양상기 부자 의병장」, 『남도일보』, 2018. 4. 29., https://www.namdonews.com/news/articleView.html?idxno=472388.

9
남한대토벌작전의 기간은 1909년 9월 1일부터 10월 25까지로 기록되어 있으나, 실제로는 1909년 7월~8월 사이에 본격적인 군사작전에 대비한 소규모 진압작전이 실시되어 이 시기에 전사하거나 체포된 의병이 적지 않다.(홍영기, 앞의 책, 396쪽.)

전사하고 약 1,700여 명이 전사하는[10] 등 궤멸에 가까운 심한 타격을 입었다. 이 작전에서 총상을 입은 양진여는 장성군 갑향면 향정리로 피신하여 부상을 치료하던 중 1909년 8월에 일본군에 체포되어 광주감옥에 수감되었다. 이후 1909년 12월 광주지방재판소에서 교수형을 선고받고 대구감옥으로 이송되었다가, 1910년 3월 '내란 기획 및 폭동과 강도'의 죄목으로 교수형이 최종 선고되었다. 그해 5월 30일 양진여에 대한 형이 집행되었다.

　　양상기는 1883년 양진여의 장남으로 태어났다. 20대 초반 광주 진위대(鎭衛隊)에서 병사로 복무하던 중, 1907년 일본이 대한제국 군대를 해산하자 아버지 양진여의 의병 활동을 돕기 위해 광주경찰서 순사가 되었다. 그러나 아버지가 의병장인 사실이 알려져 1908년 4월에 면직되었다. 이를 계기로 그해 5월부터 진위대 출신 군인들을 주축으로 의병부대를 결성하고 의병장이 되어 군자금 조달, 친일 부역자 처단, 일본 군 기관 방화 등의 활동을 하였다. 이후 양상기의 의병부대는 80여 명으로 늘어나, 1908년 11월 양진여가 주도한 담양 대치 전투에 참전하는 등 항일 투쟁에 적극적으로 참여하였다. 그러나 1909년 4월 동복현 서촌(현재 화순군 이서면 서리) 전투, 5월 담양 덕곡리 전투에서 일본군에 크게 패전하면서 결국 의병부대를 해산하고 말았다.

　　부대 해산 이후 양상기는 전북 남원으로 피신하여

10
홍영기, 앞의 책, 404쪽.

미국으로 망명 계획을 세우는 중에 1909년 12월
일본군에 체포되었다. 1910년 3월 광주지방재판소에서
'내란 강도 방화 및 살인사건'의 죄목으로 교수형을
선고받고 대구공소원에 항소하였으나 죄목과 판결이
그대로 유지되었다. 결국 1910년 8월 대구감옥에서
교수형이 집행되었는데, 이때 양상기의 나이 28세였다.
또한 아버지 양진여가 교수형을 당한 지 3개월여
만이었다. 항일 투쟁을 한 의병 중에서도 아버지와
아들이 같은 곳에서 교수형을 당한 사례는 거의 없다고
한다.[11]

3) 대천 조경환의 길, 대천로

대천로는 북구 오치동 989-18번지부터 북구 문흥동
971번까지에 이르는 도로이다. 대천은 전라남도 광산(현재
북구 신안동)에서 태어난 의병장 조경환(1876~1908)의
자호에서 명명한 것이다. 조경환은 묵헌(黙軒)이라는
호를 사용하기도 했으며, 자는 경락(敬洛)이다. 1907년
대한제국의 군대가 일본에 의해 강제 해산되자 그해
12월 광주와 함평 등지에서 김원오·김동수·양상기 등과
의병을 일으킨 후, 김태원 의병부대에 합류하여 좌익장
(左翼將)으로 활동하였다. 조경환은 1907년 12월 14일
함평에 주둔하고 있던 일본군을 급습한 것을 시작으로
함평·영광·장성·담양 등지에서 군량을 확보하고,
일본군과의 여러 전투에서 승리하였다.[12]
1908년 4월 김태원 의병장이 광주 어등산에서

11
한국학중앙연구원,
『디지털광주문화대전』,
「양상기」.

12
한국학중앙연구원,
『디지털광주문화대전』,
「조경환」.

일본군과의 교전으로 순국하자 조경환은 흩어진 부대를 수습하며 의병장으로 추대되었다. 그는 전북 이석용 (李錫庸) 의병부대에서 활동하다 합류한 전수용과 함께 의병 전력을 강화하여 유격 전술에 능한 부대로 편성하였다. 조경환과 전수용은 평소에는 2개의 단독 부대를 운용하다 일본군과 전투 시에는 연합 작전을 수행하였다.[13] 이 같은 연합 작전은 전수용 외에 유완요 (柳完堯)·김여회(金汝會) 의병부대와도 이루어졌다. 전수용 부대와 함께 1908년 10월에 담양 대치에서 일본군 수십 명을 생포하였고, 11월에는 유완요·김여회 부대와 연합하여 일본군을 상당수 사살하였기도 하였다.

이러한 전승이 이어지던 가운데 1909년 1월 10일 의병 50명을 이끌고 광주 어등산에서 주둔해 있던 조경환은 일본군의 갑작스러운 기습을 받게 되었다. 야마다(山田) 소위가 지휘하는 일본군 3개 부대가 996발이나 되는 탄환을 발사하며 조경환 부대를 맹렬하게 공격한 것이다. 이 전투에서 조경환 부대는 20명이 전사하는 심각한 피해를 입었는데, 이때 조경환도 가슴에 총탄을 맞아 순국하였다. 그의 사후에 일본 경찰은 조경환에 대해, 100여 명의 의병부대를 지휘하며 각지에서 활약한 수괴(首魁)로서 어등산 전투에서 32세로 전사했다는 기록을 남기고 있다. 짧은 기록이지만 조경환을 수괴라 지칭할 만큼 의병장으로서 그의 활동을 높이 평가하고 있음을 알 수 있다. 한편 일본군에게 총을 맞았을 당시 조경환의 품속에는 함께

13
네이버 지식백과, 「독립운동가: 조경환」, https://
terms.naver.com/entry.nav er?docId=5681277&cid=590 11&categoryId=59011.

활동하던 의병들의 명단이 있었는데, 생명이 끊어지던 찰나의 순간에도 일본군에게 빼앗기지 않기 위해 의병 명단을 불사른 후에야 숨을 거두었다고 한다.[14]

4) 금재 이기손의 길, 금재로

금재로는 북구 유동과 북동을 잇는 도로로서, 북성중학교 정문 옆길에서 시작하여 수창초등학교 후문과 북동성당을 지나 대인교차로까지 이어진 길이다. 도로 이름은 광주 출신의 의병장 이기손의 호에서 유래했다. 그런데 현재 금재로의 위치는 이기손의 이력과 연관이 없는 곳이다. 도로명 주소로 전환하는 과정에서 북구 지역에 길이 많아 도로 이름으로 삼을 수 있는 북구 연고 인물이 부족한 이유로 광산구 인물인 이기손을 빌려왔다고 한다.[15]

이기손(1879~1957)은 1877년 2월 14일 광산군 (현재 광산구) 본량면 북산리 장동마을에서 태어났다. 9세 때 사서삼경을 통독하고 옥편이라는 별명이 붙을 정도로 학문이 매우 뛰어났으며, 20세 즈음에는 역리·천문·지리까지 통달하였다. 청년기 시절에 명성황후 시해 사건(1895), 을사조약(1905), 고종황제 폐위 및 대한제국 군대 해산(1907) 등 일본의 강압으로 인한 국가적 재난을 목도하며 시국에 크게 분개하였다. 이기손은 일본의 노골적인 침략에 대항하기 위해 1907년 늦은 가을 800여 명의 의병을 모아 광산군 임곡에 소재한 용진산에서 거병하고 의병장으로

14
류복현 편, 앞의 책, 148쪽.

15
박창배, 「길 위에서 역사를 만나다 6-금재로」, 『시민의소리』, 2016. 6. 22., https:// www.siminsori.com/news/ articleView.html?idxno= 82788.

추대되었다. 이기손은 평소 친분이 두터웠던 의병장 김태원·전해산과 긴밀히 소통하며 전라도 서남부 지역을 중심으로 용맹한 활동을 펼쳤다.

1908년 1월 용진산 1차 전투에서 일본군 115명을 사살하는 큰 전과를 올렸다. 이어 패전을 만회하기 위해 더 많은 병력을 동원한 일본군에 맞선 2차 전투 또한 적군 75명을 죽이는 큰 승리를 거두었다. 이후 같은 해 2월에는 300여 명의 주력부대를 이끌고 김태원 의병장과 연합하여 창평 무동촌 전투에 참전하였다. 이 전투에서 일본군 지휘관 요시다[吉田]를 사살하는 전과를 거두었다. 또한 100여 명의 결사대를 조직하여 무안군(현재 신안군) 지도읍에 설치된 일본 해군본부를 습격하여 적군을 섬멸하였으며, 이후 함평·영광·고창·장성·광산 지역 등에서 일본군과 격전을 벌여 큰 피해를 입히며 맹활약하였다.

그러나 1909년 9월 일본군이 압도적 병력과 우세한 무기를 앞세워 호남 지역 의병을 진압하기 위한 남한대토벌작전을 전개하면서 전황이 급격히 악화되었다. 이 같은 상황에서 이기손은 부하들의 무고한 희생을 줄이기 위해 고심 끝에 '해병문(解兵文)'을 발표하고 의병부대를 해산하였다.[16] 이후 일본군의 탄압이 심화되고 이로 인해 국내 의병 활동이 더욱 어려워지자 이기손은 함경도 청진에서 만주를 거쳐 러시아로 망명하였다. 6년여의 망명 생활을 마치고 1915년 일제의 눈을 피해 몰래 귀국한 뒤, 광주로는 오지 못하고

16
한국학중앙연구원,
『디지털광주문화대전』,
「이기손」.

자신의 얼굴이 알려지지 않은 충청남도 금산군에 정착하였다. 금산에서 은거하는 동안 서당을 열어 지역 청년들의 교육에 힘쓰다가 1957년에 생을 마쳤다.[17]

이기손은 일본의 남한대토벌작전의 포위망을 벗어나 살아남은 몇 명 되지 않은 의병장으로, 고국에서 조국의 해방을 맞이할 수 있었다. 그러나 이기손이 해외로 피신한 이후 남겨진 가족들은 극심한 고난을 당해야 했다. 특히 부인 오씨는 일본 경찰의 고문을 받고 아이들 삼 남매와 함께 장성군 삼서면의 감옥에서 2년간이나 갇혀 있었으며, 이 과정에서 둘째 아들이 고문으로 사망하는 아픔을 겪었다. 또한 가족들이 풀려난 뒤에는 일제의 감시 때문에 다른 이들의 도움을 전혀 받을 수 없어 생계가 어려울 정도로 빈곤하게 생활해야 했다. 항일 의병들의 희생에는 그의 가족들의 고난과 아픔이 배어 있음을 잊지 말아야 할 것이다. 이기손의 애국적 항일 의병 활동을 기리는 의적비가 광산구 송정공원과 본량초등학교 교정에 세워져 있다.[18]

3. 나오며

앞에서 100여 년을 사용했던 우리나라의 지번 주소가 일제에 의해 도입되었음을 알 수 있었다. 사정이 이러하니 어쩌면 일제가 부여한 주소 체계 안에서 그들에게 격렬히 저항한 의병들을 호명할 수 있는 장소가 없었던 것은 당연한 일일 것이다. 조국의 독립과

17
이기손의 귀국과 사망 시기에 대한 기록이 자료마다 다르다. 한국학중앙연구원에서 제작한 『디지털광주문화대전 광주』 편에는 '1915년 망명-1941년 귀국-1957년 사망'으로 기록되어 있다. 그러나 한국학중앙연구원의 다른 자료인 『한국민족문화대백과』에는 '1909년 망명-1915년 귀국-1957년 사망'으로 기록하고 있다. 한국문화원연합회의 『지역N문화』와 광주광역시 서구문화원의 <의병대장 금재 이기손 장군 의적비> 항목에서도 같은 내용으로 기록하고 있다. 반면 광산문화원에서 발간한 『광산지역의 의병활동과 어등산』에는 '1909년 망명-26년 후(1935년) 귀국-1943년 사망'으로 기록되어 있는 등 이기손의 연보에 대한 정비가 필요할 것이다. 이 글에서는 가장 많은 자료에서 일치하고 있는 '1909년 망명-1915년 귀국-1957년 사망' 기록을 토대로 하였다.

18
류복현 편, 앞의 책, 144~145쪽 참조.

자주를 위해 기꺼이 헌신했던 의로운 이들이 기억될
수 있는 자리를 마련하는 것은 우리의 몫이었음에도
오랫동안 방기하고 무관심했다. 늦은 감은 있지만
도로명 주소 체계를 마련해서 일상 공간에 남아 있는
일제의 잔재를 청산하고, 지역과 관련된 역사적
인물들을 발굴하여 거리 이름으로 삼은 것은 매우
다행스러운 일이다.

이 과정에서 광주의 많은 역사적 인물이 거리에
등장했다. 앞에서 살펴본 김태완·양진여·조경환·이기손·
양상기를 포함하여, 멀리는 고려 말엽 남해에 나타난
왜군을 섬멸한 정지(鄭地) 장군의 호에서 이름한 '경열로
(景烈路)', 호남 출신으로 유일하게 문묘에 배향된 학자
김인후(金麟厚)의 호에서 명명된 '하서로(河西路), 일제
강점기 광주 지역에서 의료 활동을 전개한 미국 출신
선교사 우월순(禹越淳, Robert M. Wilson)을 기린
우월순길에 이르기까지 광주의 역사를 관통하고 있는
많은 인물이 거리 곳곳의 이름이 되었다. 과거 지번
주소를 사용할 때는 숫자나 기호로만 표기되어 추상적
공간으로 여겨지던 '어떤 거리'가 이름을 얻으면서
구체적인 서사가 생동하는 역사적 장소가 되어 가고
있다.

다섯 의병장 또한 그들의 거리에서 수없이 호명되고
있다. 자발적으로 의병이 되어 조국의 위기에 분연히
맞선 이들의 헌신은 그동안 역사책에서는 되새겨졌으나
일상에서는 망각되곤 했다. 그런데 이제 거리를 통해 늘

그 이름이 불리고 기억되는 생명력 있는 존재가 된 것이다. 그런데 광주의 역사에는 다섯 의병장과 같이 기억의 자리가 필요한 이들이 아직 많이 남아 있다. 역사를 잊은 민족에게 미래가 없다는 경구처럼 보다 건강한 우리의 미래를 위해 공동체를 지키고자 헌신했던 이들을 소환하고 기억하는 일을 멈추지 않아야 한다. 다섯 의병장처럼 아직 우리가 호명하지 못한 이들을 길거나 짧거나, 넓거나 좁은 광주 어느 거리의 이름으로 새기는 것도 좋은 방편일 것이다. 그 길을 지나는 사람들의 마음속에, 길 위에서 이루어지는 모든 행위에서 이들의 이름과 함께 광주의 의로운 역사가 기억될 수 있기를 바란다.

오방 최흥종과 양림동

최창근

I. 오방 최흥종과 독립운동

오방 최흥종 목사는 광주·전남 지역의 시민운동과 종교 분야를 대표하는 상징적인 인물이라 할 수 있다. 일제강점기와 해방 및 한국전쟁을 거쳐 1966년 사망할 때까지 평생을 약자와 빈자의 편에 서서 살았으며 특히 나(癩)환자 구제 사업에서 큰 역할을 하기도 했다. 또한 그는 기행과 기언으로도 유명한데 자기 스스로 사망통지서를 돌리고 세상과 인연을 끊은 사건은 유명하다. 그의 호 오방에 대해서도 여러 가지 해석과 추측이 있지만 아직까지 명확하게 해명되지는 않았다.

오방이 광주와 호남에서 했던 여러 가지 사회사업이나 독립운동, 종교활동 그리고 빈민 구제를 위한 노력은 기록으로 남아있는 명백한 사실이다. 최흥종은 나환자 치료 사업으로 유명하지만 독립운동에도 적극 관여하였다. 기록상 전하기로 광주 만세운동을 기획하기 위해 서울에 갔다가 3·1 운동을 목격한 최흥종은 인력거 안에서 일어나 만세를 부르다 일본 경찰에 체포되어 끌려가 옥살이를 했다. 오방이 광주지역의 국채보상운동에 깊이 관여했다는 사실 역시 상당수 자료로 남아있다.[1] 이러한 최흥종에 대한 이야기는 『영원한 자유인−오방 최흥종목사의 생애』[2]와 『성자의 지팡이』[3]라는 두 권의 전기 소설에서 다뤄지고 있다.

1

한규무(2011), 「오방 최흥종의 생애와 민족운동」, 『한국독립운동사연구』 39, 독립기념관 한국독립운동사연구소, 210쪽 참조.

2

광주YMCA(1976), 『영원(永遠)한 자유인(自由人)−오방(五放) 최흥종목사의 생애』, 전남매일신문 출판국.(이하 본문에 『영원한 자유인』과 쪽수 표시)

3

문순태(2000), 『성자의 지팡이』, 도서출판 다지리.(이하 본문에 『성자의 지팡이』와 쪽수 표시)

II. 최흥종과 한센인

일제강점기 광주는 이 시기의 많은 도시가 그러하듯 식민 지배를 위한 일종의 기획도시로 급성장하게 된다. 이때 광주를 비롯한 여타 도시의 가장 큰 문제 중 하나는 한센병 환자 즉 나병환자의 증가였다. 당시 조선 내 한센병 환자의 수는 대략 6,700여 명 정도였던 것으로 파악되고 있다.[4] 그러나 사람들의 눈을 피해 숨어 사는 나환자의 특성을 고려한다면 이 숫자도 정확하다고는 할 수 없다. 약 한 달 후의 기사에는 이 수가 만 팔천 명으로 거의 세 배 가량 늘어나 있다.

> 뢰환자 구제연구회 상무원 최흥종씨가 지금까지 대강조사한 바에 의하면 전조선에 잇는 환자의 수효가 일만팔천여명으로 그중에 유리걸식하는 환자가 사천여명이라 한다. 각지에 잇는 동환자들이 동환자구제회가 창립되었다는 소식을 듣고 동구제회로 진정서를 제출하야 하로밧비 구제하야 달라는 애원이 접종하는 중이라 한다.[5]

이러한 시기에 오방 최흥종이 한센병 환자 구호에 뛰어든 것은 외국인 선교사와 관련된 인상적인 경험을 통해서라고 알려져 있다. 기독교를 믿기 시작한 지 얼마 안 되었던 최흥종은 김윤수와 함께 1904년 12월의 어느 날 포사이트라는 목사를 효천에서 만나기로 했다. 포사이트를 만나 함께 광주로 오는 도중에 일행은

4
나환자의 특성상 당시 환자수에 대한 정확한 통계는 부족하며 신문에 보도된 기사가 나환자의 규모에 대한 어느 정도의 정보를 제공하고 있다. (「조선의 나병환자는 아직까지에 정확한 통계숫자를 발견하지 못하고 관변의 통계는 소화삼년말 현재로 육천칠백팔십이인의 환자가 잇다하나 그 실수(實數)는 그의 수배를 넘을 것을 상상할수가 잇다.(『동아일보』, 「나환자구제회의 발기」, 1931.09.09.).

5
『동아일보』, 「도처에 병균 전파하는 나환자가 만팔천인」, 1931.10.21.

추위에 떨고 있는 한센병 환자를 보았다. 최흥종은 김윤수와 효천으로 가는 길목에서 이미 그 환자를 만났었지만 외면하고 지나쳐버렸었다. 나환자는 누구도 가까이하기를 꺼렸던 위험한 존재였으므로 그들의 행동은 당시로선 당연한 것이었다. 그러나 포사이트는 길가에 있는 환자를 보고도 전혀 두려워하지 않았다. 오히려 그는 당나귀에서 내려 눈 위에 짚을 깔고 앉아 있는 한센병 환자에게 다가갔다.

「형제여, 이 외투를 입으시오」

포사이트는 그가 입고 있던 털외투를 벗어 환자에게 입혀주었다. 두 사람은 나귀옆에 서서 이 광경을 바라보고만 있었다. 이순간 최흥종은 자기의 털외투를 벗어 나환자에게 입혀주는 포사이트를 이해할 수가 없었다. 나병환자들과 걸인들은 어디에나 득실거렸고 그들은 병들어 굶주리며 떨다가 그대로 죽어가겠거니 하고들 생각해왔던 것이었다. 아무도 거리를 배회하는 나환자들과 걸인들에 대해서 관심조차 갖질 않았었다. 오히려 거리에서 나병환자를 만나면 못 볼 것을 보기라도 한 것처럼 얼굴을 찌푸려 피하곤 하였다. 그런데 지금 낯선 미국인 선교사가 한핏줄도 아닌데 자기의 외투를 벗어 손수 입혀주고 있는 것이다.

—『영원한 자유인』, 15쪽

"예수님께서는 갈릴리 해변가에 버려진 나환자를 불쌍히 여기셨습니다."

포사이트가 두 사람을 올려다보며 말했다. 포사이트의 말은 마치 조금전 김윤수와 영종이 효천으로 가는 길에서 그 여인이 살려달라고 말했지만 모른 척 외면하고 지나쳐버린 것을 탓하고 있는 것처럼 들렸다. 양복에 모자까지 쓰고 정장을 차려 입은 포사이트는 두 손을 벌려, 눈 위에 짚을 얇게 깔고 앉아 오돌오돌 떨고 있는 나병환자의 팔을 잡았다. 김윤수와 영종은 숨도 제대로 쉬지 못하고 포사이트의 행동을 지켜만 보았다.

"자매여, 내 외투를 입으십시오."

포사이트는 자기가 입고 있던 짙은 밤색의 두꺼운 털외투를 벗어 환자에게 입혀주었다.

—『성자의 지팡이』, 109쪽

포사이트가 길가에 쓰러진 나병환자에게 베푼 선행에 충격과 감화를 받은 최흥종은 이후 과거의 무절제한 삶을 버리고 진정한 기독교인으로 거듭나 한센병 환자를 구제하는 데 자신의 남은 인생을 바친다. 최흥종은 이후 광주 전남지역 나환자들의 아버지가 되어 그들을 돌보는데 헌신한다. 1907년 광주에 지어진 제중원은 한센병을 치료해 준다는 소문이 나서 환자들로 북적거렸다. 그러나 한센병 환자들이 너무 많이 모여들어서 개인이나 소수의 뜻있는 사람들의

후원만으로는 문제를 해결하기에 역부족이었다. 또한
나병에 대한 공포를 가지고 있던 광주 주민들이
제중원을 다른 곳으로 옮겨달라고 강력히 요구하기
시작했다. 증가하는 나병환자에 대한 시민들의 반감이
거세지자 최흥종은 총독부에 대책을 마련해달라
요청했으나 빈번히 묵살당한다. 그러자 그는 결국
나환자들을 데리고 총독부를 찾아갈 결심을 한다. 이
사건이 바로 세간에 전해지는 '구라(救癩)대행진'이다.

III. 구라대행진

한센병 환자에 대한 정책은 일본의 식민 지배에
있어서도 중요한 문제 중 하나였다. 근대국가로서 국력을
과시하길 원했던 일본은 한센병 환자들을 도시의 풍경
속에서 제거하고자 했다. 이때 가장 쉬운 방법은
도시에서 멀리 떨어진 곳으로의 이주와 격리였고 그
결과 소록도에 병원을 세워 한센병 환자를 수용하기로
한 것이다. 소록도에 자혜의원이 생기자 호남지역
다수의 환자들이 소록도로 이주했으며 다른 지역들도
마찬가지로 한센병 환자들을 격리 조치시켰다. 한센병이
단시간에 근절될 수 있었던 것은 이주와 격리라는
극단적 대책 때문이었다. 따라서 이러한 정책에서
나환자의 처우나 인권은 전혀 고려의 대상이 아니었다.

최흥종은 나환자에 대한 열악한 처우를 개선하기 위해
환자들을 이끌고 경성으로 상경할 계획을 세우는데 이때

모인 환자가 대략 150명에서 200명 정도라고 전한다. 그러나 기차 같은 교통편을 이용할 수는 없었으므로 한센병 환자들은 걸어서 총독부로 갔다. 일설에는 150명이 출발해서 서울에 도착하자 400명으로 불어났다고 한다.

그들은 양처럼 유순하기만 하였다. 가는 곳마다 주민들의 냉대가 이만저만이 아니어서 최목사는 병자들을 산기슭 후미진곳에 모아두고 혼자 마을로 내려가서 구걸을 해오기도 하였다. 교회가 있는 곳에서는 목사를 찾아가 자기 신분을 밝히고 동정을 구하면 많은 신도들이 먹을 것을 가져다 주기도 하였다. 그들이 서울에 도착한 것은 광주를 출발한지 열하룻만이었다. 그런데 놀라운 것은 광주를 출발할 때 1백50명이었던 것이 서울에 도착했을 때는 4백명이 넘었다. 그들은 나환자 근절 협회장인 최목사가 그들을 돕기 위해 총독부로 간다는 말을 듣고 전국각지에서 몰려 왔던 것이다. 4백명이 넘는 나환자들이 총독부로 몰려가자 총독부가 발칵 뒤집혔다.

—『영원한 자유인』, 99쪽

그들은 10일 이상을 죽을 고생을 하며 걸어가 총독부에 도착한다. 『영원한 자유인』과 『성자의 지팡이』에서 오방은 나환자를 이끌고 간 덕분에 이에 부담을 느낀 총독과 극적으로 면담까지 하게 된다.

그동안 수차례 진정서를 내고 면회를 요청 하였으나 끝내 모른척 해오던 총독도 그제서야 면회를 자청하였던 것이다.

"당신은 왜 문둥병자를 앞세우고 이 소란이오?"

총득은 최홍종 목사가 들어서자 책상을 치며 큰소리로 윽박질렀다.

"소란을 떠는 것이 아닙니다. 그동안 제가 여러차례 진정서를 올리고, 각하 면회요청을 했으나 모두 거절당하고 말았읍니다."

(중략)

총독은 최목사의 청을 받아주었다. 우선 총독부에서 유지들로부터 나환자 근절을 위해 기금을 모아서, 소록도 자혜원을 갱생원으로 확충시켜 더많은 환자들을 수용할 수 있도록 하고, 치료를 받은 병자들이 갱생의 길을 걸을수 있도록 지원해 주겠다는 것이었다.

"허나 다시는 문둥병환자를 몰고와서는 안되오."

총독은 이렇게 말했다.

—『영원한 자유인』, 100~101쪽

150여 명의 환자와 상경하다가 최종적으로 4백여 명의 환자로 늘어났다는 것은 이 이야기에서 상당히 중요 하고 극적인 의미가 있는 부분이다. 이 일에 대한 내막 이나 여정에 대해서는 자세한 자료가 남아있지 않다. 다만 나환자들과 그들을 대표한 최홍종이 총독부에

진정서를 전달한 사실은 신문 기사로 남아있다.

소위 천벌병(天罰病)이라는 무서운 문둥병(癩病)에
걸려 신음하는 동포들로부터 가련한 하소연을 우리
사회에 보내어 일반의 동정을 자아내게 했다.
　그들은 전남려수군 신풍리에 잇는 조선나병환자
　공제회에 수용되어 잇는 환자들로서 이번 그
공제회창설자의 한사람인 최홍종목사를 대표로
경성에 와서 알에와 가튼 의미의 진성서를 일반사회에
제출하게 하얏다.
　「우리들은 가정에서 륜리적 애정이 파괴되고 친구에게
우의적 교제가 두절되고 사회에서는 집단적 생활이
거절되고 또 종교에 까지도 의식적 참배가 금지되어
인간이면서 인간의 지위가 아조 상실되엇습니다.
　우리들은 지금 공제회에 수용되어 치료를 바드나
아즉도 전조선에 널려잇는 만여명의 동병자는
수용할 곳이 업시 이리저리 방황하야 멀정한 다른
동포들에게까지 병균을 전파하고 잇스니 이것을
생각하면 우리 몃개인의 생명이 업서지는 것보다도
우리민족 전체의 장래성쇠가 우려되지 아니치 못합니다.
　동포형제여 우리는 죽자해도 죽지 못하고 살자하니
갈곳이 업고 병을 고치자니 더욱 도리가 업습니다.
이 생사량난의 역경에 선 우리들을 좀 생각해주소서
더욱 우리민족 전체의 장래를 위하야 좀 생각해주소서
형제여 자매여 위정당국자여」**6**

6
『동아일보』, 「나병환자의
애절한 호소」, 1931.09.08.

이 기사는 여수의 나환자들이 경성까지 와서 자신의
입장을 전했다는 기사이다. 구라행진에 참여한 나환자의
수나 경성까지 간 방법에 대해서는 이론의 여지가 있을
수 있다. 다만 이는 최흥종 목사의 나환자 구제 활동이
가지는 의미와는 별개라 할 수 있다.

천형병이란 별명을 듯는 문둥병은 교통이 발달된
오늘날에 와서는 그 전염이 한지방에 끈치지 안코
널리 전조선에 파급될 넘려가 잇서서 민족보건상으로
보든지 또는 날로 증가되는 다수한 문둥병환자들의
병의 치료도 치료려니와 생활의 길이 끈쳐 인도상으로
도저히 그대로 방임할 수 업다하야 사회각 방면의
유지자들은 작 이십사일 오후 팔시에 부내 종로
기독교청년회관에서 조선뢰병환자구제회의 발기인
대회를 열잇섯다한다.
동회는 김병로씨를 좌장으로 하야 의사를 진행한
결과 조선뢰병환자구제의 근본긔초를 확립하기 위하야
조선뢰병환자구제연구회를 조직키로 되엇다 한다.[7]

여론에 힘입어 1931년 9월 24일 조선나환자구제회가
설립되었고 김병로를 좌장으로 하여 윤치호, 신흥우,
이종린, 한용운, 최흥종, 안재홍 등이 참여한다. 그중에
서도 최흥종은 나환자 구제 활동을 위해 전국으로
출장을 다니는 등 가장 열성적으로 활동했다.

7
『동아일보』, 「사회유지의
발기로 나병구제연구회」,
1931.09.26.

Ⅳ. 두 번의 면담

『영원한 자유인』과 『성자의 지팡이』에서 최흥종과
총독의 만남은 총 두 번이었다. 두 번째는 총독이
시찰차 광주를 방문했을 때였다. 이때 전남도에서는
우가끼 총독의 도착에 맞춰 미관정리를 한다는 이유로
광주천변의 빈민촌을 철거해 버렸다.[8] 하루아침에
집을 잃어버린 빈민과 거지들이 거리로 쏟아져 나오게
되었고 이를 알게 된 최흥종이 광주에 온 총독에게
다시 면담을 신청하게 된 것이다.

"그나 저나 그 건달목사를 한번 만나보고 싶소.
그 사람 배짱이 대단합디다. 내가 그 사람을 안 만나주면
또 광주의 모든 문둥이들을 몰고 도청으로 쳐들어오면
어쩔거요?"
총독은 껄껄 웃으면서 최목사의 면회요청을
받아들였다.
최목사는 총독을 만나러 도지사실로 들어갔다.
총독은 최목사를 보더니
"그래 이번에는 또무어요?"
하고 물었다. 최목사는 큰장터의 철거빈민 대책을
세워줄 것을 말했다.
"여기 앉아계신 도지사님께 그동안 수차례
간청하였으나 대책이 없기에 각하를 만나서 직접
도움을 청하려고 이렇게 왔읍니다."
최목사의 이야기를 들은 우가끼총독은 껄껄 웃으면서

8
『동아일보』, 「이백여호의
빈민굴 광주읍에서 강제철훼」,
1932.08.08.

"청을 들어주지 않으면 이번에는 빈민들을 이끌고
총독부로 쳐들어 오겠구만" 하고 말하면서 그 자리에서
도지사에게 대책을 세워주도록 지시하였다.

—『영원한 자유인』, 105~106쪽

두 가지의 에피소드는 최흥종과 총독의 만남으로
이어지면서 최흥종이 나환자와 빈민의 대표로서 그들의
어려움을 해결하기 위해 노력하고 있음을 잘 보여준다.
그리고 총독은 최흥종의 인품을 인정하고 흔쾌히
두 번의 부탁을 들어주는 것처럼 보인다. 그러나 두
번째 만남에서는 총독이 경성으로 돌아가자 도지사가
상부의 지시를 무시하고 아무 조치도 취하지 않았다.

그러나 총독의 지시를 받은 도지사는 전혀 모른척
해버렸다. 겨울은 닥쳐오고 의지할 곳 없는 철거민들은
걱정이 태산같았다. 최목사 혼자서 이리저리 뛰어다녀
보았지만 헛수고였다. 기껏해야 최목사 자신이 광주의
유지들에게 식량을 얻어다가 나누어 주는 것이
일이었다. (중략) 그해(1935년) 최목사는 중앙교회
목사로 재취임하였다. 목사로 재취임한 그는 우선
거리에 우글거리는 걸인들을 위해 대책을 세우자고
신도들에게 호소하였다. 최목사는 신도들과 함께
짚다발을 얻어다가 경양방죽가에 움막을 짓고 거리에
방황하는 걸인들을 집단수용하였다. 경양방죽가에는

짚다발을 쌓올려 만든 임시 움막이 여럿 생겼다. 그곳에
수용된 걸인들의 수는 수백명에 달했다. 걸인들은 우선
얼어죽지 않으려고 몰려들었다.

―『영원한 자유인』, 106쪽

도지사가 총독의 명령을 이행하지 않자 최 목사는
광주의 유지들에게 식량을 얻어다 나눠주었고
경양방죽가에 임시로 움막을 지어 걸인들을 집단
수용하며 문제를 해결했다. 그가 경성에서 총독을 만날
때는 총독으로부터 소록도 시설 지원 및 나환자 처우
개선 등에 대해서 약속받았다. 총독부는 최흥종의
요구를 수용해 소록도 수용 환자의 생계를 정부가
책임지기로 했고 기금을 모았으며 시설도 확충했다.
반면 광주에서의 빈민촌 철거 취소 약속은 도지사의
무시로 지켜지지 못했다. 여기에는 두 문제가 당시에
각기 다른 성격을 가지고 있었기 때문으로 보인다.

당시 조선의 나병환자는 주요 문제로 대두하고 있었고
총독부 및 사회 전체적으로 이에 대응하려는 움직임이
있었다. 소록도자혜의원은 1916년 설립 계획이 수립된
후 1917년에 병원과 병사가 건립되어 환자를 수용했다.
초기 소록도자혜의원은 규모도 작았고 치료보다는
격리와 수용에 초점을 맞췄다. 이후 소록도의 시설 확장에
대한 요구가 꾸준히 제기되어서 몇 동의 건물을 신축했다.
즉 전반적으로 나환자 수용과 치료에 대한 목소리가

높아지고 있었고 총독부가 책임을 질 필요성이 제기되고 있었던 것이다. 나환자에 대한 총독부의 관여는 선교사들이 중심이 된 나병원들이 당시 세계대공황으로 인한 불황 때문에 경제적 어려움을 겪은 것과 무관하지 않다. 결국 총독부가 나서서 조선의 나환자에 대한 대책을 세우기 시작했고 민간의 기부금과 총독부 예산 등을 활용해 소록도를 확장하기 시작했다.

반면 광주천변의 빈민촌 철거는 도시계획의 일환이었다. 당시 광주는 일제의 식민정책 하에서 호남의 중심도시로 성장하고 있었고 빠르게 늘어나는 인구로 많은 사회적 문제를 겪게 되자 이를 해결하기 위해 1920년대 초반부터 '대광주건설계획'을 세운다. 건설계획의 일부인 정비사업을 통해 광주천을 직강화하면서 1931년에는 광주천변에서 열리던 두 개의 오일장을 이전 통합했고 이후 다시 1940년대 초 무렵 시장 근처에 있는 신사로 인해 신성한 구역에 불결한 시장이 있을 수 없다는 논리를 펴며 현재의 양동시장 위치로 옮기게 된다.[9] 이처럼 정책에 의해 시장도 없어지는 상황에서 빈민촌이 무사할 수는 없다. 즉 전체적인 미관정리와 도시계획 아래 빈민촌 철거가 추진되고 있었던 것이다.

V. 양림동과 선교사

한센병 치료의 역사에서 또 하나 기억해야 할 점은 외국인 선교사들의 역할이다. 외국인 선교사의

9
정경운(2016), 「일제강점기 식민도시화 정책과 오일장 변화과정-광주 양동시장을 중심으로-」, 『국학연구론총』 17, 택민국학연구원, 156쪽.

조직적인 지원과 헌신이 없었다면 구라 사업 및 빈민 구제가 광주에서 대규모로 진행되는 것은 불가능했을 것이다. 미국의 개신교계는 당시 해외 선교를 위해 많은 선교사를 조선에 파견했는데 이 과정에서 광주에도 푸른 눈의 선교사들이 들어오게 되었다. 외국인 선교사가 광주에서 활동할 수 있었던 것은 광주가 전라남도의 행정중심지로 발전하고 인구가 증대했기에 가능했다. 광주가 발전하자 개항장 목포를 중심으로 활동하던 일군의 외국인 목사들이 내륙으로 진출해 양림동에 터를 잡은 것이다.

미국인 개신교 목사들은 양림동에 들어와 선교활동과 빈민 구제, 의료봉사 등의 사업을 진행했다. 가장 먼저 광주에 온 사람은 유진 벨(한국명 배유지) 목사인데 그는 최흥종을 장로로 임명한 인물이기도 했다. 배유지 이후 오기원, 우일선, 서노득, 고라복, 부란도, 엄언라, 서서평 등의 외국인 목사가 광주를 중심으로 활동했다.

외국인 선교사의 선교 행위는 교육과 의료를 중심으로 이루어졌는데 그중에서도 의료사업은 전근대적 의술 체계에 의존하던 일제강점기의 조선인 민중들에게 남다른 의미를 가질 수밖에 없었다. 병은 가난한 자들에게 더욱 고통스러운 것이기에 의료사업은 동시에 가난한 이들을 구제하는 일이기도 했다. 근대적 의료시스템을 통해 치료하고 동시에 선교까지 할 수 있었으므로 병원은 선교의 중요한 거점이자 교두보 역할을 했다. 의학과 위생은 미국의 선교사들에게는 사회적 약자를 구제하는

과정에서 반드시 포함되어야 할 분야였다. 식민지
조선은 미국인 선교사들의 근대화된 선교 의료가
영향을 발휘하기 적절한 곳이었다.

V. 결론

오방 최흥종의 삶과 지나온 행적은 아직 규명될
부분도 많고 다소 신화화된 면도 있음을 부인하기
어렵다. 역사적 인물에 대한 이야기는 전하는 과정에서
부풀려지거나 왜곡되기 마련이고 후일 상당 부분
미화되기 쉽다. 따라서 검증의 시선은 피할 수 없다.
그러나 최흥종의 삶이 보여주는 일관된 모습은 그의
삶에 대한 신뢰를 주기에 부족함이 없어 보인다.
일제강점기의 혹독한 시절에 나병이라는 천형을 받은
환자를 구제하기 위해 그가 보여준 희생과 노력은 분명
가치 있는 일이었다. 또한 최흥종은 사회단체 및 좌파
계열의 단체에도 참여하는 등 좌우를 가리지 않고
활발히 활동했다. 그의 이러한 태도 덕분에 그는 해방
이후에도 광주·전남 지역 사회운동의 구심점이 될 수
있었고 시민사회의 전폭적인 지지를 받을 수 있었다.
오방 최흥종이 지금까지 기억되고 있는 이유도 여기에
있을 것이다.

무명의 노래와 미래 공동체

전동진

1.

2022년 겨울 중고생이라는 단어를 포털에 치면 연관 검색어로 제일 먼저 오르는 것이 '촛불집회'다. 이태원 참사를 전후해서 정권은 '중고생'들과 싸우는 모양새다. 이것을 우려하는 목소리도 없지 않지만 나는 이것이 혁명을 경험한 세대가 지닌 기억의 힘이라고 생각한다. 2016년 한반도의 밤은 촛불로 환했고, 함성으로 뜨거웠다. 그동안의 민주화 운동과 확연하게 다른 점은 시민들이 익명(복면)에 숨지 않았다는 것이다.

그리고 더 의미 있는 것은 가족 단위의 참여자가 많았다는 것이다. 엄마, 아빠와 아이들이 함께 촛불을 든 것이다. 소위 '시위'의 현장에 온 가족이 함께한 것이다. 중고생들의 참여는 개별적으로, 친구들과 참여하는 경우가 많았다.

가족 단위로 참여한 이들은 대부분이 초등학생들 이었다. 가족과 함께한 혁명의 경험은 그 어떤 경험보다 값지게 몸과 마음에 기억으로 남았을 것이다. 그로부터 6년이 지났다. 초등학교 1학년은 중1이 되었고, 6학년은 고3이 되었다. 새롭게 타오르는 촛불의 중심에 '중고생' 들이 자리하고 있다는 것은 우연이 아니다.

2.

사람은 혁명의 기간 동안에 최선의 자유를 누릴 수 있다. 그 자유의 경험에 대한 기억이 공동체를 미래로

이끌어 간다. 4·19의 중심에서 혁명을 만끽했던 김수영
시인에게 혁명은 '온몸의 이행'과 다르지 않은 말이다.
혁명의 장소에서는 시간도, 공간도, 인간도 모두 새롭다.
이렇게 이행을 감행한 것이 개인이든, 연인이든, 사회이든
그 이전으로 돌아가는 것은 불가능하다.

사회·문화·역사가 지향하는 바가 근본적으로 바뀌는
것이 혁명이다. 아무리 거대한 혁명이라 하더라도 한
사람의 삶의 태도 변화는 개인의 몫으로 남겨진다.
그렇다고 하더라도 사회 속에서 사는 사람들은 크든
작든 그 큰 흐름을 거스를 수는 없다.

하나의 사건은 다양한 이름으로 불린다. 명칭이
많다는 것은 다른 가치를 부여하고 있다는 말이다.
'동학난·동학농민전쟁·동학혁명', '4·19의거·4·19혁명',
'5·18 사태, 5·18 의거, 광주항쟁, 광주민주화운동'……
어떻게 부르느냐를 보면 그 사람이 지향하는 사상을
알 수 있다. 이 글에서는 '오월 혁명'이라는 부른다.
그 이전으로 환원 불가능한 온몸(全身)의 이행이
이루어졌다는 것이 모든 혁명의 공통점이다.

1999년에 최정운 교수는 『오월의 사회과학』을 펴냈다.
이 책은 오월의 가치를 새롭게 조명하는 데 전환점을
마련해주었다. 그전까지 80년 광주의 오월은 명확하게
규명되어야 할 역사적 사건에 머물러 있었다. 다양한
문화적 시선으로 오월에 접근하려는 것에 오히려
거부감을 드러내기도 했다.

여전히 '광주'라는 말에는 피해자 담론과 독재 권력에

의해 그려진 '폭도의 도시'라는 심상 지리를 굳건하게 자리하고 있다. 이를 중성화(무명화)해서 어떤 문화적 의미도 제약받지 않고 자라날 수 있는 장으로 거듭날 필요가 있다.

1980년 5월 19일에서 27일까지 광주에서는 공권력이 부재한 상황에서도 한 건의 소요, 약탈 등 범죄가 없이 시민들의 힘으로 질서를 유지한 공동체가 실현되었다. 이것은 미래학자들이 인류의 역사에서는 최종단계에 출현할 수 있는 공동체지만, 결코 실현가능 하지는 않을 상상의 공동체라고 생각했던 것이다.

광주를 세계문화수도, 세계문화중심도시로 추진하려던 노무현 정부의 꿈은 다양한 벽에 막혀 축소되었다. 대한민국 문화수도라는 말도 다른 지역의 반발로 이루지 못했다. 어정쩡하게 '아시아문화중심도시'의 타이틀을 갖게 되었다. 유형문화유산으로 하면 신라 천년의 수도 경주와 비교할 수 없을 정도로 광주의 문화유산은 빈약하다. 무형 문화유산으로 치면 문화도시 전주에도 비할 바가 아니다.

과거의 문화유산은 관광객을 유치하고 자긍심을 불어넣어 줄 수 있다. 그러나 우리의 삶을 근원적으로 변화시키지는 못한다. 우리의 삶에 근원적인 변화를 불러일으킬 수 있는 것은 '미래 문화유산'이다. 인류가 이룩한 최고의 미래 문화유산은 로봇이나 AI가 아니다. 1980년 5월 광주에서 펼쳐진 '열흘의 공동체'다.

이것이 우리가 인류에게 줄 수 있는 희망의 선물이다.

광주의 '열흘 공동체'가 바탕을 이뤘기에 우리는 민주적으로 정권교체를 이룰 수 있었고, 촛불을 밝혀 무도한 정권을 교체할 수 있었습니다. 시민들의 힘으로 사회를 변혁하고 정치를 이끌어가는 것만큼은 세계에서 우리가 제일 멋지게 잘한다. 세계 사람들이 우리를 닮고 싶어 하는 것이다. 그 바탕에 자리하고 있는 것이 80년 오월에 광주에서 펼쳐진 '열흘공동체'다.

3.

오월혁명은 절대공동체, 새로운 공동체를 열어주었다. 그곳은 중성의 공동체다. 중성의 공동체는 만 년 전의 빙하를 녹여 만든 물이나, 증류수와 같은 순수상태의 것이 아니다. 그런 백색의 순수가 아니라 무명의 순수다. 이전의 순수가 아니라 이후의 순수다.

매운탕의 예를 들어본다. 우리가 먹는 것 중에서 가장 지독한 냄새를 셋 들면 다소의 이견은 있겠지만 '민물고기 비린내', '된장', '마늘'을 꼽을 수 있다. 이 셋을 적정한 비율로 섞어 끓여내면 냄새도 맛도 사라진다. 이렇게 마련된 특별한 중성(무명)의 지대에는 어울리지 않을 것이 없게 되는 것이다.

80년 오월이 마련한 중성의 지대는 이렇게 모든 것을 포용하고 그것을 최선이 되게 하였다. 이 공간에서 불렀던 가장 아름다운 노래, 무명씨들의 노래를 이 자리에서 소개할까 한다.

계엄군과 광주시민
작자미상

계엄군은 가짜 애국, 광주 시민 진짜 애국
계엄군이 진짜 폭도도, 광주 시민 민주의거
계엄군은 정권강도, 광주시민 민주항쟁
계엄군은 국토분열, 광주시민 국민총화
계엄군은 가짜 보도, 민주시민 진짜 보도
계엄군은 유언비어, 민주시민 양심선언
계엄군은 이성잃고, 민주시민 질서유지
계엄군은 독재유지, 광주시민 민주투쟁
계엄군은 철면피고, 광주시민 끓는 피에
계엄군은 저주받고, 광주시민 환호받네
계엄군은 미친개고, 광주시민 선량하네
계엄군은 로보트고, 민주시민 자유롭네
계엄군은 다급하고, 민주시민 여유있네
계엄군은 강도 정부, 민주시민 인정 많네

—『5·18 광주민주화운동자료총서』 제2권 25쪽.

　　80년 오월 광주에서 가장 많이 불린 노래는 '애국가'
였다. 진압군은 주로 군가를 불렀지만 애국가도 자주
불렀다. 시민들과 시민군들은 더 자주 애국가를 불렀고,
애국가 못지않게 아리랑을 불렀다. 애국가는 대치
상황에서 시민군과 계엄군이 돌림노래처럼 부르기도

했다고 한다.

아리랑과 애국가는 광주시민과 시민군이 진짜 대한민국 사람의 정통성을 지녔다는 외침과 다르지 않았다. 대한민국의 군인이라면 절대 대한민국의 국민을 무참히 학살했을 리가 없다. 오월 시민군들은 5월 27일 새벽에 잔인하게 진압되면서 전투에서는 졌다.

고도로 훈련된 정규군의 엄청난 화력을 시민군은 감당할 리 없었다. 한 발의 대응 사격도 하지 않으면서 시민군들은 도청에서 그렇게 최후를 맞았다. 피신을 권하는 사람들에게 시민군은 이렇게 최후의 말을 남겼다고 한다. '한 사람이라고도 더 무고하게 죽어가야 역사는 끝내 우리를 기억해 줄 것입니다.'

민주화
작자 미상

민주화여! 영원한 우리 민족의 소망이여!
피와 땀이 아니곤 거둘 수 없는 거룩한 열매여!
그 이름 부르기에 목마른 젊음이었기에
우리는 총칼에 부닥치며 여기 왔노라
우리는 끝까지 싸우노라
우리는 마침내 쟁취하리라!
날아라 민중아! 민주의 벌판을
뛰어라 역사여! 희망의 내일을
언론자유 동냥말고

피땀으로 열매맺자
권력안보 배격하고
총력안보 지지한다
유신잔당 뿌리뽑고
김일성도 격퇴하자
전두환의 사병아닌
삼천만의 국군되라
전두환이 살인마냐!
광주시민 폭도냐!
삼천만을 수호하고
전두환을 배격한다!
폭군정부 격퇴하고
민주정부 건설하자
방위세가 둔갑하여
최루탄과 총알이냐!
미끼던져 사냥말고
역사알고 자결하라!
대통령이 앵무새냐!
시킨대로 잘도한다.
민주정당 자처말고
민주주의 거름되자
표달라고 아부말고
대변하고 투쟁하라
앞서가면 지도자
뒤로 빼면 비겁자

4·19는 환호한다

녹두장군 지켜준다

지맘대로 대통령

지맘대로 국무총리

지맘대로 국무위원

지맘대로 사령관

지맘대로 애국하고

총화하자면 혼란오고

굽신거리면 애구갓요, 번영오고

반대하면 공산당 찬성하면 근대화

맹견들을 풀어놓고 민주학생 물어가고

미찬개들 풀어놓고 민주시민 물었다네

민주시민 협상하여 미친개를 쫓아내니

미친개에 지놈 한번 물려보면 요리뛰고 저리뛰며

도망갈곳 찾노라고 다른사람 물린것도 안중에도 없을텐데

우리 민주시민 정신차려 옹케도 쫓았구나

어히! 이게 웬 날벼락인고

표창받을 민주시민 폭도로 몰았구나

지가 앉은 총리대신 혼자취해 그날부로

만끽하고 하는 말이 걸작이라

무서워서 못내리고 상공에서 보았더니

질서는 쪼금있고 폭도는 많드라

지놈들만 쓰는 라이오와 TV로

먹이 줄께 항복하라

항복하면 선량하고 자위하면 죽일란다

민주시민들아! 미친 개가 포위했다.

위협주고 달래주고 울리고 젖먹이고

죽 끓이고 팥 끓이고 명분찾고 생색내고

고향팔고 외입나가 돼지같이 혼자먹고

소같이 말잘듣는 해바라기 유신잔당

앞세워서 고향타령 매향타령

북치고 장구치고 금의환향 기대하며

고향생각 잠겼구나

안 속는다! 안속아!

속다보니 많이도 속았드라!

자유당때 속았고 유신에 속았다

그러나 이젠 이젠 이젠

안 속는다! 안속아!

너무도 속았드라!

안 속는다! 안속아!

절대로 안 속는다!

―『5·18 광주민주화운동자료총서』제2권 25쪽.

광주항쟁 기간 중 시민들과 함께 시민대회에서 도청 분수대에 오른 한 연사의 연설이다. 이 연설은 낭송과 결합해 시민들의 심금을 울렸다고 한다. 시민들의 호응은 표현할 수 없을 정도로 뜨거웠다. 여기에 있는 글만으로는 그날의 감동을 반의반도 전달할 수 없다.
다수의 시민군은 훗날 항쟁 기간 동안 겪은 일들을

구술하다 그만두는 경우가 많았다. 그때 그 상황을 제대로 담아낼 수 있는 말이 없다는 것이다. 2011년 5월 25일 《5·18 민주화 운동 기록물》이 유네스코 세계 기록 유산으로 등재되었다. 9개의 주제로 기록된 문서들과 필름, 사진, 영상 등의 자료에 대중들이 쉽게 편하게 접근할 수 있게 되었으면 좋겠다. 열흘의 공동체와 함께 묻힌 그 감격의 순간들을 표현할 수 있는 언어들이 그 기록물 속에 있을 것이기 때문이다.

현실에서 오월 '열흘의 공동체'를 재현하는 것은 불가능한 일이다. 그날의 감동을 다 전하는 것은 불가능하겠지만, 오월혁명을 주제로 한 대작 뮤지컬이 제작된다면 연설과 낭송이 결합한 형태로 재연되면 좋겠다는 바람을 가져본다.

투사의 노래
작자미상

1
이땅에 민주를 수호코자 일어선 시민들
시민들은 단결하여 다같이 다같이 투쟁하자
피에 맺힌 민주사회 언제 오나
강철같이 단결하여 끝까지 투쟁하자

2
부모 형제를 지키고자 일어선 시민들

학생들과 시민들은 다 같이 투쟁하자
피에 맺힌 전두환놈 언제 죽이나
피에 맺힌 전두환놈 언제 눅이나

—『5·18 광주민주화운동자료총서』 제2권 25쪽.

이 노래는 오월 혁명의 현장에서 불렸다고도 하고,
이후의 시외 현장에서 주로 불렸다는 의견이 엇갈린다.
시민군은 불과 며칠 전만 해도 한 번도 얼굴을 본 적이
없는 사람들이었다. 이들은 오월 혁명이 열어준 '열흘
공동체'의 마당에서 최초의 인류로서 서로를 마주한다.

전대미문의 공동체를 이룬 이들은 말보다는 말을
넘어선 노래를 통해 혼연일체를 이뤄냈다. 따라서 노래는
남녀노소, 지위의 높고 낮음을 막론하고 모두에게 친숙한
형태의 것을 취할 수밖에 없다. 항쟁의 현장에서는
모두에게 친숙한 곡에 가사를 새롭게 해서 불렀다.
다음과 같은 형식과 내용의 노래가 항쟁의 현장에서는
제격이었다.

민주시민으로서의 해야 할 일

다함께 노래합시다
(정의파 노래에 맞추어)

1

우리들은 정의파다 좋다 좋다

같이 죽고 같이 산다 좋다 좋다

무릎을 꿇고 사느니보다 서서 죽기를 원한다

우리들은 정의파다

2

전두환이 물러가라 좋다 좋다

전두환이 물러가라 좋다 좋다

전두환이 물러가라 전두환이 물러가라

우리들은 민주시민

3

민주주의 이룩하자 좋다 좋다

민주주의 이룩하자 좋다 좋다

민주주의 이룩하자 민주주의 이룩하자

우리들은 민주시민

(가사를 바꿔 부를 수 있음)

—「투사회보」

'정의파'로도 불렸고, 80년 이후에는 '홀라송'으로 거리에서 불렸던 노래다. 80년대는 물론 90년대 중반까지도 민주화운동 현장에서는 가장 흔하게 들을 수 있는 노래이자 함성이었다. 물론 가사는 집회의 주제에 따라 유연하게 바꿔 불렸다. 영과 행의 반복적 구성과 곡의

점층적 구성이 절묘하게 결합한 노래다. 「투사회보」에
실려있는 가사에는 각 절마다 '우리들은 민주시민'이 반복
되고 있다. 이것은 앞서 이야기한 것처럼 광주시민과
시민군이 '폭도'가 아니라 '민주시민'이라는 것을 자각하는
동시에 널리 알려내려는 의지가 강하게 반영되어 있다.

　80년대 민주화 현장에서 불릴 때는 '우리들은
민주시민' 대신 각 연의 주제를 또박또박(스타카토)
강조하는 것으로 바뀐다. '열흘공동체'가 목숨을 걸고
장렬하게 진압당함으로써 대한민국의 진짜 주인이
누구인지가 판가름 났다. '우리들은 민주시민'을 굳이
강조할 필요가 없는 것이 되었다. 이 훌라송은 8자의
구호를 누구라도 선창하면 마지막에는 전체가 부르게
되는 구조를 가지고 있다.

　우리는 보았다

　우리는 보았다
　사람이 개끌리듯 끌려가 죽어가는
　것을 두 눈으로 똑똑히 보았다.
　그러나 신문에는 단 한 줄도 싣지 못했다.
　이에 우리는 부끄러워 붓을 놓는다
　1980. 5. 20
　전남매일신문기자 일동

　전남매일신문사장 귀하

이 절필 선언은 지식인의 양심 어린 행동을 엿볼 수 있는 글의 하나로 꼽을 수 있다. 열흘의 공동체가 해체되고 사람들은 죽음의 공포에서 벗어날 수 있었다. 살아남은 사람들은 이때부터 극심한 죄책감에 시달리게 되었다. 지식인들의 투쟁은 항쟁의 기간이 아니라 항쟁 이후에 주로 이루어졌다.

군사정권에 의해 큰 고초를 당할 것이 분명함에도 항쟁 이후에 지식인들은 죽임을 당한 시민군들을 '폭도'라는 오명에서 건져내기 위해 목숨을 걸고 독재 정권과 싸웠다. 그것은 물론 값진 투쟁이었다. 80년대를 관통하는 투쟁을 통해 '반란의 폭도'라는 주홍글씨를 '혁명의 전사'으로 바꿔낼 수 있었다.

그러나 그것은 죽음을 각오했지만 죽지는 않을 것이라는 믿음을 바탕으로 한 것이었기에 열흘 공동체를 재현해 낼 수는 없었다. 그런 점에서 항쟁 기간 동안 전남매일신문 기자들이 보여준 저 짤막한 '항쟁의 시'는 더없이 값지다고 하겠다.

4.

서구의 근대는 개인의 발견과 함께 시작되었다. 우리의 근대 역시 이와 무관치 않다. 1919년 3·1운동은 개별자들이 목청껏 '대한독립만세'를 외쳐 불렀다.

만세운동이 전국적으로 퍼진 것에는 고종의 죽음도
크게 작용했다. 1919년 2월 고종이 죽었다. 일제에
의해 독살되었다는 소문이 전국적으로 퍼졌다.
3·1운동은 다양한 가치들이 교차하는 경계에 해당한다.
외적으로는 나라의 독립을 바라는 외침이었다.
내적으로는 봉건 체제로부터 개별자들의 독립선언과
다르지 않다. 후자에 더 가치를 부여할 경우, 이것은
3·1혁명이라고 부를 만하다.

　우리의 삶에 혁명적인 변화를 가져온 것은 4·19다.
이것을 미완으로 보는 것은 정치적인 측면에서다.
4·19의 혁명성은 '자유'의 발견과 실현이다. 백성들의
손으로 '왕'의 자리에 있던 대통령을 끌어내림으로써
자신의 존엄성을 스스로에게 부여할 수 있었다.
백성은 자유의 시민으로 거듭난다. 자신의 정체성은
'자신으로부터 말미암은 것'이라는 신념은 삶의 가치를
바꾸어주었다. 한 번 맛본 자유는 역사상 가장 엄혹한
독재로도 끝내 짓누를 수는 없었다.

　그리고 또 한 차례의 혁명은 1980년 5·18이다. 이것을
혁명이라고 부를 수 있는 것은 '공동체'의 발견이다.
백만의 시민이 사는 대도시에서 공권력이 부재한
상황에서 시민들의 힘으로 질서를 유지한 것은 인류가
한 번도 경험하지 못한 것이다. 이 열흘의 공동체를
'미래 공동체'라고 부르는 것은 이런 연유에서다. 중성의
공동체, 무위의 공동체가 완성된 것이다. 80년 광주의
오월은 이런 불가능성의 가능성을 표상함으로써 인류의

새로운 가능성을 보여준 것으로 평가받았다.

　우리는 한 차례의 혁명을 더 지나왔다. '촛불 혁명'이라고 부르는 사람이 많다. 정치적, 문화적, 사회적으로 다양하게 혁명성을 도출하고 있다. 노벨평화상이 잠깐 추진되기도 했다. 공동체의 측면에서 촛불의 혁명성에 다가설 때는 그 중심에는 가족이 자리한다.

　이전의 혁명은 '익명성'을 바탕으로 했다. 마스크, 복면은 그 상징이다. 그런데 촛불혁명은 가족 단위의 참여자가 많았다. 복면은 완전히 사라졌다. 가족은 이제 위계가 아닌 다양한 위상에서 관계하면서도 촛불을 함께 밝히는 동지로서, 혁명의 주체가 되었다. 촛불의 기억을 함께 간직한 가족은 소통의 장소로 거듭난다. 이러한 가족의 풍경과 함께 자라나서 2022년 겨울 촛불집회를 주도하고 있는 '중고생'들이 우리의 미래를 맡아주었으면 하는 바람이다.

1980년 5월 광주의 진혼곡을 읽다

−고영서 시인의 시 「전일빌딩245」,
『연어가 돌아오는 계절』, 천년의 시작, 2021.

이송희

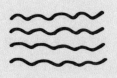

전일빌딩245
고영서

어떤 상처는 끝내 사라지지 않고 살아 시간을 증언하지

전망이 좋아 꼭대기에서 만나자 해태가 그려진
아이스크림 광고판이 있던 자리 흑백사진에서 보았던
그래그래, 전일마루에서
구름은 흘러가도 같은 구름으로 돌아온 적 없고 이
바람, 명복을 빌지 않아 죽지 않았다
씽씽 보드를 타고 달리는 아이들 광장의 숨소리가
올라오고 분수대에서 물기둥이 솟고 시계탑에서
종소리가 세 번 나면 임을 위한 행진곡이 울려 퍼진다
외벽에 그려진 주홍빛 동그라미 속에 두두두두두두
두두두두두두 두두두두두두 두두두두두두 유리창을
뚫고 두두두두두두 두두두두 신문사가 있었지 누군가는
부끄러워 펜을 내려놓고 누군가는 위험을 무릅쓰고
펜을 들어 투사회보를 날렸던 두두두두두두두두두……
금남로1가 1번지

지금은 11월, 두 다리로 걸어가는 달 해가 저물어 가는
것을 내려다보며 내려가 보자 가 보자

－고영서, 「전일빌딩245」 전문, 『연어가 돌아오는 계절』,
천년의 시작, 2021.

1. 1980년 '광주'의 기억을 품은 전일빌딩245와 금남로

고영서 시인의 시 「전일빌딩245」를 읽으며 1980년 광주 5·18 민주항쟁의 기억을 공유하려 해요. 여러분은 5·18을 어떻게 알고 계시나요? 1980년 5월 18일부터 5월 27일 새벽까지 열흘 동안 전두환을 중심으로 한 당시 신군부 세력과 계엄군의 진압에 맞서 광주 시민과 전남도민이 죽음을 무릅쓰고 민주주의를 쟁취하기 위해 항거한 역사적 사건이에요. 이 과정에서 시민군 606명이 사망하고, 76명이 실종, 1,515명이 부상을 당했다고 해요. 광주는 해마다 오월이 오면 금남로에서 그날의 시간과 공간을 기억하며 기념하지요.

금남로는 일제 치하에서 1919년 3월 만세운동의 집결지였던 곳이면서 군부독재 치하에서 5·18민주화 운동의 중심지로서 의미가 깊은 곳이지요. 금남로1가 1번지에 위치한 전일빌딩은 언론의 산실이었을 뿐 아니라 다양한 복합문화공간으로 광주와 함께 발전해 왔어요. 1980년 5·18민주화운동의 중심에서 마지막까지 시민과 함께 저항했던 전일빌딩은 헬기 사격의 총탄 흔적 245개가 발견되면서 새로운 전기를 맞게 된 것이죠.

이곳, 금남로는 민중들이 억압과 수탈의 대상에 맞서 싸운 역사가 흐르고 있는 곳이라 해요. '금남로'라는 이름도 왜적과 오랑캐를 상대해 싸운 장수의 이름을 따온 것이라 하고요. 그래서 광주의 금남로는 과거로부터 이어져 온 역사적 상징이면서 정의로운 항거가 이어진 곳이랍니다. 자료에 따르면 '금남'이라는 명칭은 권율 장군의 사위인 정충신이 임진왜란(1592년)과 정묘호란 (1627년)에 공을 세워 인조로부터 금남군이라는 봉호를 받은 것에서 유래한다고 해요. 지금도 광주 시민들은 국가의 부조리에 항거하며 촛불을 들 때면 금남로로 집결하지요.

'전일빌딩245'는 광주광역시 금남로 1번지에 있는 건물이에요. 1980년 5월 18일 민주화 운동 당시 광주 시민들이 몸을 숨긴 장소인데요, 계엄군의 헬기 사격 흔적이 남아 있는 곳이기도 해요. 지금은 리모델링을 거쳐 2020년 5월 복합문화시설로 개관했답니다. 헬기 탄흔 흔적을 고스란히 간직한 이 건물은 1980년 당시의 사건과 장소를 동시에 이야기할 수 있다는 점에서 의미가 있는 곳이에요.

'전일빌딩245'는 역사적 현장으로서의 건축 형태와 공간을 '245'로 상징화하여 의미를 되새기고 미래로의 스토리텔링을 담고자 하였다고 해요. '245' 정중앙의 원은 5·18 민주화운동 당시 헬기 사격의 선명한 탄흔을 상징하고, 4가지 색채 구성은 전일빌딩의 콘텐츠 공간을 형상화한 것이라 하고요. '245개의 진실과 기억'과 '245번지의 공간과 사람'은 전일빌딩245의 브랜드이면서 광주의 역사를 증언하는 정체성을 증언한다고 할 수 있지요.

역사의 기록(증거)을 간직한 곳이기에 광주를 찾아오는 이들은 이곳을 많이 거쳐 가는데, 실상 광주 시민들은 그리 많이 찾지 않은 듯해요. 휴식 공간인 전일마루에는 광주 타이포 조형물, 휴게데크, Moon라운지&스탠드, 전망데크, 탄흔 보존 구간 등이 있어요. 그리고 다양한 문화 시설을 즐길 수 있게 내부에 서점과 미디어아트 공간도 갖춰져 있어요.

2. 시간과 공간을 호명하는 '금남로1가 1번지'의 시

인간은 아팠던 과거일수록 오래 기억한다고 합니다. 한 편의 시는 과거 이 자리의 아픔과 상처가 있었음을 증명하는 흉터와 같다고 할 수 있지요. 문학은 시대의 상처와 고통, 지나간 역사에 대한 증언, 시대정신에 대한 고민을 담아내면서 우리가 살아가는 동안 끊임없이 부딪혀야 하는 문제를 다루기 때문이지요. 1980년 5월 광주는 시인의 기억 속에 245개의 탄흔처럼 또렷하게 남아 있습니다. 전두환 군사독재 시절, 무고한 시민들과 학생들이 민주화를 외치다 금남로에서 쓰러져 갔던 일은 고영서 시에서 '두두두두두두'하는 총소리로 되살아나고 있습니다. 고영서 시인의 말처럼 "어떤 상처는 끝내 사라지지 않고 살아 시간을 증언하지"요.

"전망이 좋아 꼭대기에서 만나자 해태가 그려진 아이스크림 광고판이 있던 자리 흑백사진에서 보았던 그래그래, 전일마루에서"라는 문장에서처럼, 전일빌딩은 친구들과의 약속 장소로도 손꼽히는 곳이었지요. "구름은 흘러가도 같은 구름으로 돌아온 적 없고 이 바람, 명복을 빌지 않아 죽지 않았"지요. 구름은 하늘에서 내려다보는 관찰자 같은 느낌입니다. 이 역사적 비극을 내려다보는 구름은 흘러가도 같은 구름으로 돌아온 적이 없습니다. 당연히 1980년 5·18 당시의 구름일 리가 없지요. 하지만 지금 화자가 보는 구름은 아마도 죽어서 다시 돌아온 듯한 느낌입니다. 같은 구름은 아니지만 또 오고 또 옵니다. 아마도 명복을 제대로 빌어주지 않아 다른 모습으로 계속 나타나는 것 같습니다.

"씽씽 보드를 타고 달리는 아이들 광장의 숨소리가 올라오고", 여전히 "분수대에서 물기둥이 솟고 시계탑에서 종소리가 세 번 나면 임을 위한 행진곡이 울려 퍼"집니다. 화자의 눈과 귀에는 1980년 5월 그날이 생생하게 재현되고 있어요. 5·18의 상징 곡인 '임을 위한 행진곡'은 1980년 5·18 광주 민주화운동 당시 시민군 대변인으로 활동하다 계엄군에 의해 희생된 고(故) 윤상원 씨와 1978년 광주의 노동 현장에서 '들불야학'을 운영하다 사망한 노동운동가 고(故) 박기순 씨의 영혼결혼식(1982년)을 소재로 한 노래로, 5·18 민주화운동을 널리 알리기 위해 만들어진 노래입니다. 가사를 인용해 볼게요.

사랑도 명예도 이름도 남김없이/ 한평생 나가자던 뜨거운 맹세
동지는 간데없고 깃발만 나부껴/ 새날이 올 때까지 흔들리지 말자

세월은 흘러가도 산천은 안다/ 깨어나서 외치는
뜨거운 함성
앞서서 나가니(본래는 '가나니') 산 자여 따르라/
앞서서 나가니 산 자여 따르라

'임을 위한 행진곡'은 1997년 5·18민주화운동
기념일이 정부 기념일로 지정된 이후 2008년까지
5·18 기념식에서 제창되어 왔었지요. 그러나 2009년
이명박 정권 때 '임을 위한 행진곡' 제창을 식순에서
제외시키고 식전 행사에서 합창단이 부르는 방식으로
변경해 시민단체와 유가족들의 반발을 야기했어요.
분노한 시민들과 유가족들은 금남로에서 별도의 5·18
기념식을 열었어요. 이후 야당 및 5·18단체는 본 행사
식순에 '임을 위한 행진곡'을 반영해 제창할 것을
지속적으로 요구했어요. 2011년부터는 '임을 위한
행진곡'이 본 행사에 포함됐어요. 그러나 합창단이
합창하고 원하는 사람만 따라 부르게 하는 방식으로
변경돼 '임을 위한 행진곡'을 둘러싼 논란이 계속됐어요.
2017년 5월 10일 취임한 문재인 대통령이 취임 이틀 뒤
'업무 2호 지시'로 5·18민주화운동 기념식에서의 '임을
위한 행진곡' 제창을 지시했어요. 5·18 기념식에서는
2008년 이후 9년 만에 '임을 위한 행진곡'이
제창되었죠.
　다시 고영서 시인의 시로 돌아가 볼게요.

"외벽에 그려진 주홍빛 동그라미 속에 두두두두두두
두두두두두두 두두두두두두 두두두두두두
유리창을 뚫고 두두두두두두 두두두두 신문사가
있었지 누군가는 부끄러워 펜을 내려놓고 누군가는
위험을 무릅쓰고 펜을 들어 투사회보를 날렸던
두두두두두두두두두…… 금남로1가 1번지"

앞에서도 이야기했듯이 '245' 정중앙의 원은 5·18
민주화운동 당시 헬기 사격의 선명한 탄흔을 상징해요.
"외벽에 그려진 주홍빛 동그라미 속에" 헬기 사격이
일어나는 현장을 재현하고 있어요. "두두두두두두
두두두두두두 두두두두두두 두두두두두두" 총알은
유리창을 뚫고 계속 "두두두두두두 두두두두" 쏟아지고
있어요. 쏟아지는 총성에는 여백이 없어요. 무고한
시민들을 제압하기 위한 계엄군의 오만하고 무자비한
학살이 드러난 부분이에요. "누군가는 부끄러워 펜을
내려놓고 누군가는 위험을 무릅쓰고 펜을 들어
투사회보를 날랐"지요. 정부를 비판하는 글을 쓰면
곧바로 끌려갔기 때문에 글 한 줄, 말 한마디 잘못했다고
잡혀가 모진 고문을 당한 사람들도 많지요. 그럼에도
이러한 총성을 기록하는 이들에 의해 그날의 기억은
보존되어 온 것이지요. 그 반대편에는 총성의 위험에
몸을 숨기고 진실을 감춘 언론이 있었어요.
금남로1가 1번지, 그곳에서는 여전히 헬기에서 기총
사격을 했어요. 눈 가리고 야옹 하는 것도 너무 뻔뻔한

것이지요. 전일빌딩의 총탄 흔적이 245개나 돼요. 헬기에서 쏘아야 가능한 탄흔인데, 전두환은 헬기 기총사격은 없었다고 끝까지 거짓말을 했지요. 그리고 단 한마디 사죄도 없이 떠나버려 민주화를 위해 희생된 자들과 남은 이들의 가슴에 지울 수 없는 탄흔을 남겼죠. "지금은 11월, 두 다리로 걸어가는 달", "해가 저물어 가는 것을 내려다보며 내려가 보자 가 보자" 다짐해 보는 시간으로 마무리되는 시예요.

국민들에게 공권력을 이용하여 민주화운동을 강압적으로 진압하는 정치적 폭력을 보여주는 시예요. 여전히 지워지지 않은 현재형의 아픔을 품고 사는 광주 시민들의 모습을 재현하고 있어요. 1980년 광주 민주화 운동의 경우, 당시 신군부 정권이 들어서자 광주 시민들은 민주주의 수호를 위해 처음에는 평화 시위 운동을 하였어요. 그러나 그런 국민들을 향해서 국가는 경찰과 계엄군(군부)을 동원하여 무자비하게 광주 시민들을 구타하고 학살했죠. 전일빌딩 옆에는 상무관이 있었는데, 그곳에도 시신들이 가득했어요. 그리고 그 결과로 많은 사상자들이 발생했지요. 자국민들을 지켜줘야 할 국가가 국민들을 향해 총부리를 겨누고 정치적 폭력을 행사한 '폭력의 독점'이라 할 수 있어요.

3. 광주의 오월, '그때 이후'를 기록하는 고영서 시인

1980년 오월 광주는 권력의 욕망 앞에 무자비하게

학살당한 사건을 기억하는 이들에 의해 문학 작품 속에서 꾸준히 증언되고 재현되었어요. "고통스런 기억의 반복 체험이란 것이 얼마나 사람을 소모 시키는 것인지, 처음으로 알았다"고 말한 임철우 소설가도 있고요, "광주에서의 시간을 겪은 뒤에, 그래서 나는 쓰는 일은 거의 포기하려고까지 했다. 하지만 작가란 어느 시대에나 행복한 족속이 아니"기에 마음을 고쳐먹고 창작에 매달렸음을 털어놓은 김신운 소설가도 떠오르네요. 당시의 기억이 얼마나 치명적인 트라우마를 안겨 주었는지를 짐작하게 합니다. 야만적인 시간을 견딘 기록들도 시간의 풍화를 거치면서 서서히 잊히게 마련인데, 작가들의 기록에 의해 문학적으로 재현되고 보존되는 것은 참 다행스러운 일이 아닐 수 없지요.

고영서 시인은 유독 광주의 오월, '그때 이후'의 흔적을 기록하는 작가예요. 시인이 쓴 5·18 관련 시들은 광주에 대한 관심과 문제의식을 잘 증명해 준다고 할 수 있어요. 1969년 장성에서 태어나 서울예대 극작과를 졸업한 시인은 2004년 〈광주매일〉 신춘문예에 시 「달빛 밟기」가 당선되어 문단에 데뷔했어요. 첫 시집 『기린 울음』과 두 번째 시집 『우는 화살』을 출간하였고 세 번째 시집으로 『언어가 돌아오는 계절』을 펴냈어요. 이 시집으로 2021년 5·18 문학상 본상을 수상했어요. 시인은 시를 통해 끊임없이 광주를 호출해요. 5·18을 이야기한 시 중에서 5·18 민주화운동 피해자 서호영 씨의 이야기를 다룬 「부고 (訃告)」라는 작품을 비롯하여, 「두부처럼 잘리워진 너의 이름은」, 「이팝꽃」, 「차명숙」 등의 시도 아프고 슬프지요.

특히 영화에서 재현되어 많이 알려진 '차명숙'이라는
여성은 5·18민주화운동의 한복판에서 광주 시민들을
불순분자로 몰고 가는 계엄군에 맞서 '가두방송'을 했던
주인공이죠. 그녀는 "사랑하는 우리 형제자매들이/
계엄군의 총칼에 죽어 가고 있습니다./ 시민 여러분
우리를 기억해 주세요."라는 내용으로 가두방송을 했죠.
그래서 신군부 집권 세력에게 주요 표적이 되어 여성
수형자가 감당할 수 없는 가혹한 고문을 받았죠. 505
보안부대 등에 끌려가 비인도적인 가혹 행위를 당했지만,
그녀를 긴 시간 괴롭혔던 것은 사람들로부터 퍼진 고정
간첩이라는 소문이었다고 해요. 당시 군부가 지배하는
국가는 그녀가 "5·18로 인해 도망가다 죽었다고 충분히
이야기할 수 있"는 유언비어 생산 기계였기 때문입니다.

고영서 시인의 시 중 「김진덕 여사의 오월─빛고을
시편」의 일부를 잠시 살펴볼까요?

녹동에서 반나절 광주에 가 닿으면
망월동에서 또 반나절
네 이름 석 자 쓰다듬으러 왔다

아무도 주검을 못 보았으니
제대로 죽지도 못헌 내 새끼
(중략)

시신 없는 무덤이 무슨 소용이냐
남들은 뒤에서 수군댄다만
구천을 떠도는 너의 혼이기에
자석처럼 쏠려오는 에미의 마음

열아홉 너를 만나고 가는 날은
하루해가 짧아
쓸쓸히 저물어 돌아가는 것을
어디에 누워서 꿈을 꾸는 거냐
옥환아,

　　―고영서, 「김진덕 여사의 오월―빛고을 시편」 부분,
『기린울음』, 삶이 보이는 창, 2007.

　　망월 묘역은 '전일빌딩245'와 마찬가지로 과거를
현재화하는 장소입니다. '망월동(望月洞)'은 그 의미
그대로 해석하면 달을 바라는 동네입니다. 풍수가들이
옥토끼가 보름달을 바라본다는 명당으로 일컫는
'옥토망월형'(玉兎望月形)에서 '망월'의 유래되었다고
해요. 1980년 5월 빛고을이 '핏고을'이 되자 살아있는
자들은 죽은 이들을 하나둘씩 망월동에 묻었어요.
"아무도 주검을 못 보았으니/ 제대로 죽지도 못헌 내
새끼"는 "시신 없는 무덤"과 "이름 석 자" 쓰다듬는 과정
속에서 현재화된 기억으로 남아 있어요. 군인들은
시신을 한꺼번에 싣고 구덩이를 파서 묻었다고

184

하잖아요. 그래서 그들의 영혼이 "구천을 떠도는"
것이지요. 화자인 어머니의 기억 속에 아들은 여전히
'열아홉'이에요. "자석처럼 쓸려오는 에미의 마음"을
어머니의 어조로 전달하고 있는 시예요.

기억은 "이름 석 자"를 쓰다듬는 행위를 통해 또렷해
지지요. "광주항쟁 26주기/ 부활제 행사를 마치고 돌아"
가는 길에 "옛 도청 회의실 2층"을 보며, "저항할수록
사살(射殺) 되어가는,/ 소리 소문 없는 도시의/ 불을
뿜는 탄환의 거리"를 재현하고 "맹물에 주먹밥 밀어
넣으며 끝끝내/ 살아서 돌아가리라,"(고영서, 「광장에
아침햇살이 떨어지기 전에」) 이를 앙다물었던 그 순간을
떠올리기도 하지요. "옛 도청 회의실"은 기억의 중심지
로서 '망월 묘역'과 '전일빌딩245 같이 광주의 오월을
기억하는 중요한 장소성의 지표예요.

4. 광주의 또 다른 이름들, '저건 광주잖아'

특히 여성에게 1980년 5월 광주는 가족을 잃은
상실의 공간으로 인식되기도 해요. 그들이 가장 먼저
호명하는 대상은 1980년 5월 당시 거리로 나가 끝내
가족의 품으로 돌아오지 못한 남편과 자식, 폭넓게는
광주 시민들이 있기 때문이지요. 개인의 고통을 넘어
'광주'라고 하는 집단에게도 고통이 지속되고 있음을
보여준답니다. 화자에게 기억하는 행위는 곧 고통을
드러내는 방식인데, 그중에서도 가족을 잃은 슬픔은

광주의 참상을 불러내는 가장 아프고도 충격적인
기억이라고 할 수 있지요.

5·18을 다양한 시점과 문체로 그려낸 한강의 『소년이
온다』(창비, 2014)의 한 대목을 인용하며 아직도 생생한
광주의 5월을 보겠습니다.

2009년 1월 새벽, 용산에서 망루가 불타『는 영상을
보다가 나도 모르게 불쑥 중얼거렸던 것을 기억한다.
저건 광주잖아. 그러니까 광주는 고립된 것, 힘으로
짓밟힌 것, 훼손된 것, 훼손되지 말았어야 했던 것의
다른 이름이었다. 피폭이 아직 끝나지 않았다. 광주가
수없이 되 태어나 살해되었다. 덧나고 폭발하며
피투성이로 재건되었다.

— 한강, 『소년이 온다』, 창비, 2014, 207쪽.

2009년 1월이라는 용산참사의 시간이 1980년
광주라는 과거 시간을 불러내고 있어요. 이것은 2021년
시작된 미얀마 사태를 보며 1980년 광주항쟁을
소환하는 것으로 연결되었어요. 중요한 것은 불러낸
광주가 아니라 이를 부른 미얀마라는 곳이었어요.
시간은 미래로 흐르지 않고 과거를 불러내는 방식으로
작동하고 있어요. 이러한 차원에서 5·18 광주가 2009년
용산의 또 다른 이름이었듯 미얀마 민주화 시위도
민주화를 위해 싸우던 광주의 또 다른 이름일 수

있다는 것이지요.

필자가 「민주화를 위한 참여와 연대」 제목하에
『유목의 서사』(더푸른, 2022)라는 평론집에 실은 글
일부를 인용하며 이야기를 풀어가 볼까요?

폭력은 상대방을 합리적으로 설득할 방법이 없을 때
자행하는 극단적인 행위 중 하나라고 합니다. 어떻게든
자신의 뜻과 욕망, 야심을 관철시키려는 것을 목적으로
합니다. 그것이 진실이나 사랑이 아니라 거짓이기
때문에 폭력을 쓰는 것이지요. 폭력의 사전적 의미는
"남을 거칠고 사납게 제압할 때에 쓰는, 주먹이나
몽둥이 따위의 수단이나 힘, 넓은 뜻으로는 무기로
억누르는 힘" 또는 "남을 거칠고 사납게 제압할 때에
쓰는, 물리적인 수단이나 힘"으로 정의되어 있습니다.

폭력이 지닌 힘의 작용에 대한 직접성과 가시성을
보여주는 설명인데요. '합법'이나 '공익'을 앞세워 자신의
정당성을 얻는 국가의 법은 국가를 유지해 나가는
장치이지만 이것이 과연 누구를 위한 것이고, 어떻게
국민들에게 적용되는가를 생각해 본다면 상황에 따라
해석은 달라질 수 있어요. 국가라는 이름으로 폭력을
독점하면서 독재를 정당화하려는 1980년 광주가
그렇고, 미얀마 쿠데타의 경우가 그렇다고 볼 수
있지요. 국가가 국민들에게 정치적 폭력을 행한 '폭력의
독점'이라 할 수 있습니다.

5·18 당시 어머니들은 시위하는 시민군들을 위해
주먹밥을 날랐지요. 지금도 해마다 5월이 되면 '오월

주먹밥'을 열고 있어요. 다음의 시는 망월로 가는
길에 흐드러진 주먹밥을 닮은 이팝꽃을 보며 그날의
오월 어머니들을 떠올리는 시예요. 「이팝꽃」을 인용하며
광주의 오월을 더 깊숙이 품어 봅니다.

밥
뜸드는 냄새가 난다

─저래 흐드러지면 영락없이
풍년이었제

망월 가는 차는
어느 틈에
흰 꽃그늘을 지난다

─우리는 총 대신 밥을 날랐어야,
죽을 각오로

봉분 없는 묘비에 누가 올려놓았나

갓 지은 고봉밥 한 그릇

─고영서, 「이팝꽃」 전문, 『연어가 돌아오는 계절』,
천년의 시작, 2021.

시인은 2020년 겨울 「신생」 인터뷰에서 「건강한
생명력을 모신 노을빛 서정」이라는 제목 아래 다음과
같이 이야기를 남겼습니다. 그녀는 공선옥 작가의
말을 인용하며 어떻게든 무엇을 쓰던 결국은 이야기로
돌아간다고, 그 말에 공감하면서도, 그 한계를
극복하기가 쉽지 않다는 걸 깨달았다고 말이죠.
후일담이 아닌, 현재가 중심이 되어 나아가는 문학을
하고 싶다고 밝혔어요. 정신이라는 말 앞에 광주가
붙듯이 고영서라는 이름 앞에 시인이라는 말이면
족하다고 했던 고영서 시인의 표정이 떠오르네요.

아동 문학이 들려주는 광주의 5월

−김해원 작가의『오월의 달리기』

강영훈

1. '아동 문학'과 역사적 사건의 만남

우리가 어릴 적 잠자리에서 부모님께 들었던 옛날이야기, 혹은 초등학교 음악 시간에 다 함께 부르던 동요들을 떠올려보자. 대체로 순수함을 지향하고 동심을 지켜주는 이야기와 노랫말들이었을 것이다. 이와 같은 이야기나 노랫말들은 그 향유층이 명확해 보인다. '나이가 적은 아이, 대개 유치원에 다니는 나이에서 초등학교 저학년까지의 나이'라는 '아동'의 사전적 정의에 부합하는 이들을 위한 것이라는 인식이 강하다. 이러한 맥락에서 이들이 갖춰야 할 내용이나 형식, 성격을 예상하는 것은 그리 어렵지 않을 것이다. 아이들이 잠자리에서 들어야 할 이야기가 지나치게 심오하거나 잔혹한 내용이라면? 또 즐거움과 행복을 줘야 할 노랫말들이 어둡고 불행한 내용이라면?

'이야기'에 조금 더 집중해 보자. 아이에게 들려주는 이야기는 '교육'의 의도성이 풍부하게 함의되어있다. 이야기를 듣는 '아동'은 이야기를 들려주는 성인의 입장에서 언제나 보호해 줘야 하는 존재이자, 올바르게 성장시켜야 하는 대상이기 때문이다. 나의 팔베개를 베고 누워있는 작고 소중한 아이에게 비교육적인 이야기를 해주는 부모는 없을 것이다. 이처럼 이야기를 들려주는 성인에게는 그 일상의 찰나에서도 아이들을 위한 교육과 성장이라는 의무 아닌 의무가 부여된다.

물론 이것이 전부는 아니다. 아이에게 들려주는 이야기는 '재미'와 '흥미' 또한 추구한다. 교육과 교훈에만 치우친 이야기는 아이들에게 큰 영향을 끼칠 수 없다. 재미가 없으면 아이들은 이야기에 귀를 기울이지 않을 것이며 금세 흥미와 집중력을 잃을 것이다. '흥부와 놀부', '토끼와 거북이', '금도끼 은도끼'와 같이 누구나 알고 있는 이야기를 떠올리면 쉽게 이해할 수 있다. 이러한 전래 동화들은 아동이 쉽게 이해할 수 있는 수준에서 흥미와 재미를 주며, 궁극에는 교훈적인 메시지를 전달할 수 있는 이야기들이다.

'이야기'보다는 조금 더 본격적인 것 같고, 정통한 것처럼 보이는 '문학'이라는 포장된 범주에서도 사정은 비슷하다. 아이들에게 두서없이 들려주던 이야기가 조금 더 형식미를 갖추고 완성도를 높인다면 '아동 문학'이라는 하나의 문학 장르로 포함될 수 있을 것이다. 아동 문학 역시 '아이들을 위함'이라는 본질을 잊어서는 안 된다. 이 본질이 아동 문학의 존재 이유이자 가치이다. 아동 문학의 창작자는 작품의 독자층을 어린아이들로 설정하기 때문에 계몽성·교육성을 우선순위에 둘 수밖에 없으면서도, 한편으로는 아동에게 읽히게 하기 위해서 어느 정도 재미를 염두에 두어야 한다. 이처럼 아동 문학에서 독자층의 문제는 가장 중요한 문제이다. 이야기의 주제나 소재부터 아동이라는 독자층을 고려해서 선정된다.

지금까지 언급한 '순수', '교훈', '재미'와 같은 아동 문학의 자질들은 앞으로 이야기할 '역사적 사실'과 쉽게 연결되지는 않는다. 특히 한국 근현대사 중 가장 큰

비극이라 할 수 있는 5·18광주민주화운동은 더욱
그러해 보인다. 얼핏 '잘못된 만남'처럼 보이지만 이
역사적 사건을 아동 문학의 주제로 차용한 작품이
많다는 것과 5·18기념재단에서 매년 시행하는 5·18
문학상 시상식에서 아동문학 부문을 따로 선정한다는
사실에 주목해 보면, 이들의 만남이 주는 목적과 의도,
효과가 자못 궁금해진다. 5·18광주민주화운동을 다루는
다양한 아동 문학 작품 중에서 김해원 작가의『오월의
달리기』를 통해 이 궁금증을 해소해보고자 한다.

2. '명수'의 달리기를 멈추게 한 광주의 5월

　2021년 5월, KBS2 TV에서 방영된 <오월의 청춘>은
1980년 5월 광주의 이야기를 전면에 배치했을 뿐
아니라 '이도현'과 '고민시'라는 비교적 신인 배우들이
주연을 맡았다는 점에서 흥행이 예상되는 드라마는
아니었다. 그럼에도 평균 5%대의 시청률을 기록하며
시청자들의 많은 사랑을 받았으며, 청춘의 사랑이라는
매개채로 광주의 아픔을 이야기했던 드라마의 작품성
역시 전문가들의 호평을 받았다. 더불어 이 드라마의
원작인 김해원 작가의 아동 소설『오월의 달리기』
(도서출판 푸른숲, 2013.)가 재차 주목받게 되었다.

　합숙소는 양동시장에서 그리 멀지 않았다. 아버지는
시장 앞으로 흐르는 광주천을 따라 올라가다 집들이

다붓하게 붙어 있는 골목길로 들어갔다. 광주천
건너편으로는 적십자 병원이 보였다. 아버지는 집집마다
기웃대면서 번지수를 확인했다.
　"요 근천가 본디……. 사동여인숙이라고 간판이
있다고 헜는디……."(33쪽)

　'아동 문학이 들려주는 5·18광주민주화운동'이라는
본고의 주제를 잠시 차치하더라도, 『오월의 달리기』는
광주의 언어·광주의 일상·광주의 문학작품들을 다루는
이번 교양서에 매우 적합한 작품이다. 광주역·양동시장·
무등경기장과 같은 광주 내 구체적 장소, 생동감 넘치는
사투리, 1980년 광주 시민의 모습들이 작품 요소요소
에서 발견되기 때문이다. 치열하게 사투리를 감수받고
철저한 사전 조사를 거쳐 80년 광주를 재현해 준 작가의
노력 덕분이다. 작품을 읽는 독자는 너무나 자연스럽게
1980년 광주에 서 있게 된다. 그리고 그날 광주의
이야기를 들려주는 사람은 '명수'이다. 명수가 들려주는
80년 광주의 봄날에 귀를 기울여 보자.
　작품은 그저 뛰는 것을 좋아했던 달리기 선수 '명수'를
중심으로 이야기가 진행된다. 명수는 이 시대에 살았을
법한 정말 평범하고 전형적인 열세 살의 소년이다.
전형적이라는 말이 얼핏 부정적으로 인식될 수 있으나,
시대의 전형적 인물을 창조하는 것은 쉬운 일이 아니다.
누구나 이해하고 공감할 수 있으면서도 개성 또한
갖춰야 하기 때문이다. 어디에서도 발견될 것 같지만,

특유의 개성과 매력을 갖춘 인물이어야만 독자의 흥미를 유발할 수 있다. 명수는 1초 차이로 자신을 앞서고 있는 정태에게 라이벌 의식을 느끼면서도 국가대표 달리기 선수라는 꿈을 이루기 위해 열정적으로 노력한다. 한편으로는 소아마비로 다리를 저는 아버지를 순간 부끄럽게 여겨 모른척하는 현실적인 모습도 보인다. 열세 살 소년이 가질 수 있는 특유의 순수함과 솔직함을 지닌 명수는 독자가 매력을 느끼고 공감을 보내며 감정을 이입시키기 충분한 인물이다.

나주라는 작은 시골에서 살고 있지만 당당하게 지역 대표 선발전을 통과한 명수는 전국 소년체전 참가를 위해 광주 합숙소에 합류한다. 합숙소는 명수의 아버지가 일하는 양동시장과도, 광주 시내라 할 수 있는 금남로와도 그리 멀지 않은 곳에 있었다. 명수가 배정받은 6호 방의 룸메이트로 명수의 라이벌이라 할 수 있는 '정태'와 멀리 뛰기 선수 '성일', 던지기 선수 '진규'가 배정된다. 천진난만하고 말썽꾸러기인 네 명의 아이는 '박동욱 코치'의 훈련과 교육을 통해 조금씩 성장한다.

함께 하는 시간이 길어질수록 점점 우정을 쌓아가는 6호 방 친구들은 더없이 평화로운 시간을 보낸다. 지루한 훈련이 반복되는 합숙소에는 적절한 일탈과 통제가 반복된다. 명수와 친구들은 그 나이대의 아이들이 그러하듯이 자유 시간을 이용하여 합숙소에서 탈출하고 싶은 욕망이 가득하다. 합숙소

담장을 넘어 솜사탕을 사 먹거나 하드를 사 먹는 것은 꽤 달콤한 일이었지만, 아이들의 일탈 심리를 충분히 만족시키지는 못했다. 자칭 교양인이라 자부하는 진규는 무엇보다도 만화방에 가고 싶은 생각이 간절했다. 만화방은 군것질과 비교했을 때 죄의 무게가 다를 것 같다며 선뜻 나서지 못하는 상황 속에서, 박 코치는 여느 때와 다름 없이 마당에 앉아 라디오를 들으며 이들의 일탈을 감시한다. 라디오에서 흘러나온 뉴스는 작품의 분위기가 전환될 것을 암시한다.

"오늘 전두환 중앙정부장서리는 취임 후 첫 기자 간담회를 가졌습니다. 간담회에서 전두환 부장서리는 중앙정보부와 보안 사령관 두 기구를 장악하면 정치 발전에 차질을 빚을 것이라는 일부의 걱정은 기우에 불과하다고 했습니다. 전두환 부장 서리는 ……"(49쪽)

위의 뉴스는 1979년 12.12 군사 반란을 통해 육군의 주요 보직을 찬탈한 전두환이 중앙정보부장 서리로 임명된 이후의 기자 간담회 내용으로, 1980년 5월이라는 역사적 지점을 알려주는 역할을 한다. 이러한 뉴스 내용은 합숙소에서 탈출하려는 아이들의 순진무구한 일탈과 바로 대조를 이룬다. 폭풍 전야 속에서 아이들의 관심사는 육상 기록을 단축하는 것과 합숙소에서 탈출하여 조그마한 재미를 누리는 것뿐이었다. 만화방을 가고자 했던 이들의 첫 번째 작전은 박 코치에게 들통이

나서 무마되고 말지만, 이들의 두 번째 작전은 아이들을
역사적 소용돌이 속으로 인도한다. 어떻게든 합숙소를
벗어나고 싶었던 6호 방 친구들은 누나를 불러온
진규의 잔머리로 광주 나들이를 하게 된다. 명수와
친구들은 금남로 쪽은 가까이 가지 말라던 코치의 말을
한 귀로 흘려듣고 광주공원으로 향하게 되는데……

공원에는 놀러 온 사람들로는 보이지 않는 젊은
남자들이 입구에서부터 늘어서 있었다. 간간이 여자도
보였다. 모두 긴장한 얼굴이었다. '땅' 신호총 소리가
들리면 당장 앞으로 뛰어나갈 선수들 같았다.(82쪽)

"대학생들이 또 데모허는갑네. 워째 매캐헌 냄새가
난다 혔더니……."

"데모가 뭐다요?" 성일이는 모여 있는 사람들을
신기하게 바라봤다.

"긍께 대학생들이 나라가 잘못됐다고 시내에
돌아댕기믄서 막 경찰들하고 싸우고 그라는 거제.
허라는 공부들은 안 허고들……." 진규가 어른처럼 혀를
끌끌 찼다. 명수는 아버지가 시내에 나가지 말라고 한
말이 퍼뜩 떠올랐다.

"형, 데모가 나쁘다요?"

"나쁜 건 아닌디, 우리 엄마가 그랬어야. 데모헌다고
나라가 바뀌겠냐고……. 근디이제 워쩌냐? 최루탄
땀시 돌아댕기도 못헐 텐디. 니들도 알제? 최루탄은

경찰들이 쏘는 연긴디. 겁나게 매워서 눈도 못 뜨고 막 기침 나오고 그런당께."(83쪽)

　공원에서 마주친 시위대에 대한 아이들의 시선이 드러난다. '데모'가 익숙했던 시절인 만큼 아이들은 이 광경 자체에 이질감이나 공포심을 느끼지는 않는다. 데모에 익숙한 아이들이라니… 1970~80년대 대한민국 사회의 분위기를 감지할 수 있는 부분이다. "비상계엄 철폐하라!", "전두환은 물러가라!"는 시위대의 외침과 행동을 정확히 이해하지 못한 명수는 "왜, 무엇 때문에?"라는 '아이다운' 질문을 한다. 이에 진규는 "몰러. 뭘 잘못한 사람인게 물러가라고 하겄제."라는 어쩌면 당연한 '아이다운' 답변을 한다. 시위대를 바라보는 이들의 순수한 호기심과 시선이 일그러지는 데에는 오랜 시간이 걸리지 않았다.

　곤봉에 맞은 아저씨가 앞으로 고꾸라지자 군인은 군홧발로 사정없이 발길질을 해 댔다. 주위에 있던 사람들은 놀라 입을 쩍 벌리며 몸을 움츠렸다. 무섭게 달려는 군인의 서슬에 겁을 먹어 모두 옴짝달싹하지 못했다. 군인은 쓰러진 아저씨 등짝을 발로 찍어 누르고는 악을 써 댔다. 군인의 눈빛이 섬뜩했다. 먹이를 눈앞에 둔 사자처럼 으르렁 댔다. 도저히 믿을 수 없는 광경이었다. 명수는 놀라 오줌이 질금 나왔다.(90쪽)

"시내선 원래 데모허믄 이케 겁나게 잡도리를 허냐?
우리 나주선 요렇게 흉한 꼴은 보덜 못 혔는디……."
"아, 아녀. 우리 엄마헌티 이런 야그는 못 들었어야.
나가 아까부텀 생각혔는디, 아무래도 저 군인들은
우리나라 군인이 아닌갑다. 북한 김일성이가 보낸
인민군이 분명허당께. 우리나라 군인이믄 한나라
사람을 복날 개 잡드끼 두들겨 패겄냐?"
진규가 몸서리를 쳤다. 명수는 뒤를 돌아봤다. 광주천
건너 멀리 한 무리의 군인이 뛰어가는 게 보였다.
그라믄 우리나라 군인들은 워디 있는 겨?(96~97쪽)

작품 속에서도 5·18광주민주화운동이 발발한 것이다.
전두환 신군부는 비상계엄령 확대 반대 시위를 진압하기
위해 광주에 공수부대를 투입했다. 이 공수부대는 광주
시내에서 평화적 시위를 벌이는 학생들에게 곤봉을
휘두르고 옷을 벗겨 군 트럭에 강제 연행했다. 성인의
눈에도 충격적이었을 참혹한 폭력의 현장을 아이들이
목도하게 된 것이다. 진규는 이 군인들을 인민군일
것이라 확신한다. 우리의 군인들이 광주 시민들을
폭행했다는 사실을 도저히 믿을 수 없기 때문이다.
어린이날 행사에서 낙하산을 타고 멋지게 내려오는 공수
부대의 모습을 TV를 보며 감탄했던 아이들은 "그런
멋진 군인들이 사람들을 팰 리" 없다고 생각한 것이다.
이후 어른들의 도움을 받아 무사히 합숙소에 복귀한
아이들은 합숙소 주인집 할머니의 말을 듣고 다시 한번

가슴이 내려앉는다. 할머니는 시위와 무관한 길거리의
시민들과 학원에서 공부하는 학생들뿐 아니라, 가정집
까지 난입하여 폭력을 자행하고 있는 공수 부대의
모습을 합숙소에 전달했다. 합숙소의 소집 이유이자
순수한 꿈과 열정의 상징이었던 소년체전은 이제
아이들에게 중요한 문제가 아니었다. 명수의 달리기는
여기서 멈추게 되었다. 아이들은 자신들의 가족들이
걱정되었다. 특히 시내 근처인 양동시장에서 시계 수리공
을 하시는 아버지 걱정에 명수는 눈물이 차올랐다.
불안함이 가시기도 전에 아버지의 부고 소식과 함께
유품인 회중시계를 전달받는 명수의 모습을 통해
광주의 비극이 고스란히 전달된다.

아버지가 손수 맹근 시계를 줄라고 허셨소? 그래서
깜깜한 새벽에 차도 안 댕기는 길을 걸어 걸어 오셨소?
총 든 군인들이 막고 서 있는 길을 어쩌케 오셨소? 나는
시계 같은 건 읎어도 암시랑토 않은디, 그래도 잘만
뛰는디. 잘 뛰어서 아버지 웃게 해줄라고 했는디…….
명수는 흰 천으로 덮힌 아버지 몸을 손으로
쓰다듬었다.(130쪽)

명수의 아버지 역시 시대의 평범한 인물이었다.
아들을 진심으로 사랑하면서도 무뚝뚝한 성격 탓에
제대로 표현은 못하지만, 전남 대표가 된 아들을
자랑스럽게 생각하고 마음속으로 응원했던 아버지였다.

그런 아버지가 유품으로 남긴 시계는 아버지의
사랑과 광주의 아픔을 상징한다. 아버지의 시신을
보고 온 명수는 시골에 있는 어머니에게 부고 소식을
알리고 장례를 위해 광주에 모셔 와야겠다는 마음이
앞섰다. 그러나 당시 광주는 군인들에 의해 철저하게
봉쇄되었을 뿐 아니라 다른 지역으로 연결되는
전화선마저 끊어진 상황이었다.

여기서 6호 방 친구들의 마지막 세 번째 작전이
진행된다. 어머니를 광주로 모시고 올 수 있도록 명수를
광주에서 탈출시키는 데에 힘을 보태는 것이다. 6호 방
친구들은 그 험난한 길을 동행하기 위해 함께 합숙소를
나선다. 상황이 상황인 만큼 다소 무모하고 위험해
보이지만 이들의 우정이 다시 한번 빛을 발하는
순간이었다. 군인들의 눈을 피해 산을 넘어 명수의
집으로 향하는 아이들의 모습으로 작품은 마무리된다.

3. 비워진 역사의 기록을 채운다는 것

역사적 사건은 문학과 영화, 드라마에서 언제나
환영받는 소재이다. 특히 조선 왕조를 배경으로 하는
역사 소설이나 사극은 꾸준히 사랑받고 있는 콘텐츠이다.
다양한 예술 장르들은 왜 역사에 주목하는 것이며, 왜
많은 사랑을 받는 것일까? 끊임없이, 그리고 다양하게
시도되는 역사의 재현은 새로운 소재에 대한 탐색의
결과물일 수 있다. 역사적 사실은 창작자의 상상력을

자극할 뿐만 아니라, 그 자체로도 무한한 이야깃거리를 제공할 수 있기 때문이다. 한편으로는 실제 역사를 알리려는 의도 역시 다분할 것이다. 잊어서는 안 될 숭고한 역사가 잊히고 있는 현실에 경각심을 주기 위한 목적도 있는 것이다. 또한 역사는 지나가 버린 시간이지만 현시대를 살아가는 우리에게 교훈과 메시지를 전달할 수 있다는 가치 역시 확보하고 있다.

다만 전통 시대를 재현한 작품들에는 언제나 의구심이 남는다. 재현된 장면이 정말 실제 역사일까? 물론 창작자가 특정 시대와 역사를 재현하는 과정에서 역사적 사료를 근간으로 삼았겠지만, 참고한 역사적 기록조차도 정말 '사실'일지 충분히 의심할 수 있다. 일단은 역사서에 기술된 내용이 '사실'이라고 믿고 있지만, 당시의 진실을 알 방법은 딱히 보이지 않는다. 역사의 모든 부분이 기록되지는 않았다는 것 역시 문제가 있다. 그 때문에 창작자는 비워진 역사의 기록을 자신의 '상상력'을 통해 채워 넣을 수밖에 없다.

전통 시대와 달리 근현대의 역사적 재현은 비교적 진실한 역사, 실제 역사를 반영할 수 있을 것으로 보인다. 역사적 기록에 기댈 수밖에 없는 전통 시대와 달리 최근의 역사는 충분히 객관적으로 기록되어 있으며 진실을 모두 파악하고 있다고 여겨지기 때문이다. 전통 사극과 비교하여 현대 시대극이 역사 왜곡 논란이 더 적은 이유도 여기에 있다. 최근의 역사는 누구에게나 공개되었던 '미디어'라는 진실을 담보할 수 있는

'객관적인 기록'이 있지 않은가?

　그런데 유독 비워진, 채워지지 않은, 혹은 왜곡된 현대의 기록이 하나 있다. 지금까지 이야기했던 1980년 5월 광주에 대한 기록이다. 5·18광주민주화운동은 근현대사 중에서도 비워 있던 역사임이 자명하다. 이날의 역사는 국가 권력에 의해 철저히 통제되었고 미디어를 통해 왜곡되었다. 그 때문에 1980년 광주의 5월은 한동안 그곳에서만 갇힌 채 계속해서 머무를 수밖에 없었다. 머무른 수준을 넘어 국가가 만들어낸 왜곡된 진실을 여전히 진리라 여기는 국민들이 오늘날에도 많다. 근현대의 역사 중에 한국 전쟁과 더불어 가장 많이 재현되는 소재가 5·18광주민주화운동인 이유가 여기에 있지 않을까? 비워진 역사의 기록을 '다시 제대로' 쓰기 위한 열망, 요청, 사명.

　또한 국가가 행한 폭력에 가장 잔혹하고 심각한 피해를 본 사건이자 광주의 일상에 들이닥친 폭력이라는 점 역시 문학(화)적 재현의 목적이 된다. 일상을 살아가고 있던 광주 시민들은 직접적이든, 간접적이든 폭력의 피해자가 되었다. 일상을 덮친 국가의 폭력은 이에 직접 희생된 이들 외에도 많은 희생자들을 발생시켰다. 직접적으로 폭력을 피해 간 이들 역시 자신의 공간, 이웃, 친구가 받는 폭력을 목격하고 경험함으로써 역사의 피해자가 된 것이다. 너무나 큰 아픔과 상처를 안고 살아가야 하는 이들을 위로하고 치유할 방법에 대해 끊임없이 고민할 수밖에 없다. 다양한 문학(화)적 재현의 시도는 이러한 고민의 일환일 것이다.

자, 이제 다시 서두에 던진 질문으로 돌아가 보자. 아동 문학이 5·18광주민주화운동과 같은 비극적 사건을 소재로 쓴 의도나 목적의 이야기로. 이 질문은 계속해서 5·18광주민주화운동을 재현하는 이유와 맞닿아 있다. 잊어서는 안 될, 그러나 잊히고 있는(혹은 잘못 전달되고 있는) 역사적 사실을 끊임없이 조명하려는 목적과 열망을 상기해 보자. 이것을 전달하려는 대상에 아동 역시 포함될 필요가 있는 것이다. 이야기를 전달하는 주체가 본인들과 비슷한 나이인 명수라는 점에서 교육적 효과는 증폭될 수 있다. 명수가 들려주는 80년 광주의 5월은 현재 자라나는 아이들에게 국가 폭력에 대항하여 자유와 민주주의를 쟁취하기 위한 선배들의 피와 땀을 이해시키는 데에 기여할 수 있다.

5·18광주민주화운동이 다른 민주화 운동과 비교하여 유독 왜곡과 비하로 얼룩져있다는 것을 고려할 때, 교육의 필요성은 더욱 강조될 수밖에 없다. 교육을 받는 어린 독자들은 작품 속 명수처럼 처음에는 '시위대'의 구호를 이해하지 못할 것이다. 명수의 손에 이끌려 점차 광주의 5월에 빠져들어가는 과정을 통해 사건의 본질에 의문을 던질 수 있을 것이다. 어쩌면 이것이 5·18광주민주화운동을 재현한 예술 장르 중에 아동

문학만이 누릴 수 있는 효과일지도 모른다. 작품 속 명수가 성장했듯이 이 작품을 읽는 독자 역시 성장과 성숙을 기대할 수 있는 존재들이다. 또한 명수와 친구들이 서로를 위로하고 격려했듯이 오늘날 아이들도 서로를 격려하고 위로할 수 있는 존재들이다. 5월의 광주에 들이닥친 국가의 폭력은 우리에게 두려움이 되었지만, 후세들은 이 두려움을 극복하고 희망을 지향할 수 있는 역량을 갖춰야 할 것이다. 이러한 역할을 광주의 5월을 재현한 수많은 작품 중에서 아동 문학이 수행하고 있다.

이처럼 『오월의 달리기』는 명수가 비슷한 또래에게 들려주는 이야기이지만, 한편으로 이 사건 전반에 고민의 여지를 제공하기도 한다. 국가 폭력을 정면에서 목격한 명수와 친구들은 이 상황에 대한 궁금증을 해소할 수 없다. 이 궁금증은 독자에게 던지는 질문과도 같다. 이 사건의 피해자는 확실한데, 가해자는 누구인가의 문제이다. 용서를 구하고, 용서를 받을 수 있는 사람은 누구인가? 직접적으로 피해를 가한 군인들만이 가해자인가? 아이들의 대화를 마지막으로 글을 마치고자 한다. 아래의 인용문은 80년 5월을 재현하여 우리를 그날로 보내는 것에 그치지 않고, 현재의 우리에게도 질문을 남긴다.

"그렇게 군인들이 악당인 거여라?"
성일이 아주 심각한 목소리로 물었다.

"아니제. 만화서 보믄 나쁜 로보트를 조종허는 진짜 악당은 뒤에 숨어 있잖여. 군인들은 나쁜 악당헌티 조종당허는 로보트인거제."

정태가 진지하게 대답했다. 진규가 정태 말이 맞다면서 호들갑스럽게 손뼉을 쳤다.

"근디 악당들이 왜 사람들을⋯⋯."

참고문헌

김해원, 『오월의 달리기』, 도서출판 푸른숲, 2013.

김현숙, 「아동문학이 아동에 대한 시선을 처리하는 방식」, 『아동청소년문학연구』20, 한국아동청소년문학학회, 2017.

신헌재, 「아동문학이 나아갈 지향점- border를 넘어서」, 『한국아동문학연구』21, 한국아동문학회, 2011.

안점옥, 「5·18을 기억하는 아동문학의 방식」, 『아동청소년문학연구』21, 아동청소년문학연구, 2017.

장정희, 「한국 현대 역사동화의 환상성」, 『아동문학평론』41-3, 아동문학평론사, 2016.

오늘 몇 요일이야?

미즈카이 유카리

일본 유학생, 광주 지역어와의 첫 만남

필자는 2017년에 유학을 위해 광주로 온 일본인이다.
처음으로 한국어를 접하게 된 것은 중학생 때였다.
일본에서 배용준 주연의 드라마 <겨울연가>를
시작으로 1차 한류 붐이 일어난 당시, 저의 어머니 역시
이 드라마의 애청자 중 한 명이었다. 한국 드라마의
인기에 이어 한국 아이돌 그룹이 인기를 끌기 시작했을
때 저의 어머니는 동방신기 노래를 열심히 듣고
있었다. 필자는 그런 어머니의 영향을 받아 중학생 때
가나다라를 배우게 되었다. 대학을 졸업할 때쯤 필자의
한국어 능력은 한국에서 일상생활을 문제없이 할 수
있는 정도였으며 나름 자신감 있게 한국으로 왔다.

광주로 오자마자 필자는 조금 아쉬운 마음이 들었다.
예상과는 달리 사람들이 광주의 지역어인 사투리를
별로 사용하지 않았기 때문이다. 부산으로 처음 여행
갔을 때 지하철만 타면 여기저기에서 들려오는 부산의
지역어가 아주 흥미로웠고, 표준어가 아닌 한국어를
실제로 처음 듣게 되어 흥분했던 것을 지금도 생생하게
기억한다. 당연히 광주도 오자마자 광주 지역어가 잘
들려오는 줄 알았으나 그러지는 않았다.

그러나 광주에서 유학 생활을 하다가 어느 날 택시를
탔더니 매우 당황스러운 경험을 하게 되었다. 택시
기사가 필자에게 말을 걸었는데 무슨 말을 했는지
전혀 이해가 되지 않는 것이다. 택시 기사는 분명히
'한국어'로 말을 걸었는데 그것은 필자가 처음 들어보는

한국어였다. 이것이 광주의 지역어, 사투리구나! 필자는
직관적으로 그렇게 느꼈다. 이후에도 다양한 활동을
하면서 광주 지역어를 듣는 기회가 종종 있었다. 새로운
지역어를 접하면 인터넷에서 의미나 쓰임을 검색하기도
했다. 그렇게 사람들의 말을 주의 깊게 들어보면서
조금씩 광주 지역어를 배우곤 했다.

　　필자는 한국어를 이미 일본에서 표준어로 배웠기
때문에 어떤 말이 표준어이며 광주 지역어인지를 항상
인지하며 들었으나, 유학 생활을 하면서 그것이 광주
지역어임을 모른 채 사용한 표현들도 있었다. 그중 하나는
'몇 요일'이라는 표현이다. 표준어로는 '무슨 요일'이라는
표현을 쓰지만 광주에서는 이 '몇 요일'이라는 표현을
사용하는 사람이 많다. 원래 '몇'은 수를 모를 때
사용하는 것이므로 숫자가 아닌 '요일'에는 사용하지
않는 것이 원칙적으로는 맞지만, 처음에 이 표현을
듣고서는 책으로 배운 한국어에는 없었던 표현이지만
현지인들은 사용하는가보다, 하고 따라 사용했다.
그러나 나중에 이것이 일부 지역에서만 사용된다는
것을 알게 되었다. 표준어가 아님을 알게 된 이후에도
필자는 이 표현을 선호하여 자주 사용하고 있다.
표준어보다 짧고 편리하기 때문이다.

외국인들이 지역어를 배운다…?

최근에 일본에서 또다시 한국 붐이 일어나고 있다.

그런데 같은 한국 붐이더라도 예전과는 조금 다른 분위기가 느껴지는 듯하다. 먼저 연령대로 차이가 크게 보이는데 예전에는 비교적 중년층 중심의 붐이었다면 최근의 붐은 젊은 세대 사람들을 중심으로 일어나고 있다. 또한 한국어 학습의 측면에서도 표준어뿐만 아니라 다양한 지역어에 대한 관심이 높아지고 있는 듯하다. 아이돌 그룹을 응원하는 팬들이, 다양한 지역 출신 멤버들의 말투에도 큰 관심을 가짐으로써 지역어에 보다 쉽게 접근하게 된 것이다.

대표적인 예로 아이돌 그룹 BTS를 들 수가 있다. BTS는 멤버마다 출신 지역이 달라 사용하는 언어도 각자 다르다. 대구, 부산, 광주 등 다양한 지역어를 접할 수 있으며, 실제로 노래 중에도 지역어로 작사된 가사나 유튜브 콘텐츠 가운데 지역어를 주제로 한 것들을 많이 볼 수 있다. 이러한 기회를 통해 일본의 팬들은 표준 한국어뿐만 아니라 지역어에도 많은 관심을 가지게 된 모양이다.

실제로 인터넷에서 '한국어 사투리(韓国語 サトゥリ)' 등으로 검색해 보면 일본인들이 한국 지역어에 대해 소개하거나 지역어를 해석하며 설명하는 등의 다양한 글들을 볼 수 있다. "'사투리'가 뭐야? 귀여운 사투리란", "잘 구사하면 상급자! 한국 아이돌한테 배우는 한국 방언" 등의 제목들이 눈길을 끈다. 이처럼 일본에서 한국 지역어가 매력적인 것으로 받아들여지고 있을 뿐만 아니라, 한국어 학습자들이 지역어를 보다 높은

수준의 한국어 능력을 갖추기 위해 알아둬야 한다고
인식하는 것으로 보인다. 일본의 한국어 학습자 중에는
본인이 좋아하는 한국 아이돌이 하는 말을 번역이나
통역을 거치지 않고 직접 본인이 이해하는 것을 학습
목적으로 두는 학습자들도 많다. 그런데 요즘에는 한국
아이돌 중에도 지역어를 사용하면서 활동하는 경우도
많으며, 이들의 말을 이해하기 위해서는 단순한 한국어
학습뿐만 아니라 지역어까지 이해할 필요가 있기
때문이다.

   이와 같이 한국어를 어느 정도 수준까지 배운
다음에 지역어를 배우려고 하는 사람들도 있다. 실제로
외국어 어학책처럼 부산 지역어의 문법이나 표현을
배울 수 있는 책 등이 일본에서 판매되고 있기도
하다. 이 책의 구매자들은 "부산말이 정말 귀여워서
배우고 싶었다." "요새는 부산말을 듣는 기회가 많아진
것 같다. 드라마에서도 자주 나오기도 하고 부산말을
쓰는 아이돌들이 있기도 해서 부산말이 궁금했었다."
"한국어를 배우고 나니, 각 지역의 언어도 배우고
싶어져서 구매했다." 등의 반응을 보이고 있다. 지역어를
귀엽다고 표현하는 경우는 필자도 종종 보았는데 이런
반응은 젊은 세대를 중심으로 많이 보이는 것 같다.

   이처럼 이제는 표준어뿐 아니라 지역어도 외국인이
배울 대상이 된다는 것이 흥미롭게 느껴진다. 여러
차례 한국 붐을 경험하면서 일본에서 한국어 학습이
이전보다 더 대중화됨에 따라 지역마다 개성적인

매력이 있는 지역어에 대한 관심도 높아진 것이 아닐까
생각해본다.

매력적이고 개성적인 지역어

최근에는 인터넷 매체를 통해서 한국 드라마나
영화가 일본에서도 빠르게 유통이 되는 시대가
되었는데, 어떤 한 매체가 제공하는 드라마나 영화를
소개하는 블로그에서 한국 지역어를 주제로 한
글을 찾을 수 있다. 이 글에서는 일본에서 한국어를
가르치는 일본인 교수가 경상도 편, 전라도 편으로
나누어 작품에 등장하는 인물의 말투에 주목하여
지역어의 특징이나 지역어에 대한 이미지 등을 해설해
주고 있다.

경상도 편에서는 <비밀의 숲>, <라켓소년단>,
<슬기로운 의사생활>을, 전라도 편에서는 <이태원
클라쓰>, <택시운전사> 등의 작품을 소개하면서
지역어에 대해 설명하고 있다. 경상도 지역어는
역양이나 성조가 강하다는 특징이 일본의 칸사이벤
(일본 칸사이 지방에서 사용되는 각 지역어의 총칭)과
유사하게 볼 수 있다. '아따' 이 소리가 들리거나 어미에
독특한 억양과 함께 '잉'이 들리면 그것은 전라도
지역어이다 등 한국 지역어를 잘 모르는 일본인도
이해가 되도록 효과적으로 설명되고 있다.

등장인물의 대사 내용뿐만 아니라 사용하는

말투에도 관심을 가져보면, 그 인물의 분위기나 어떤 장면이 암시하는 내용 등을 이해하는 데 도움이 될 경우가 있기 때문에 작품을 보다 깊이 있게 즐길 수 있다는 것을 알려주고 있다. 영화나 드라마에서는 지역어에 대한 사람들의 인식이나 이미지(특히 부정적인 경우가 많다) 등을 이용해서 인물의 성격이나 특성을 드러내게끔 하는 경우도 많다. 그러나 외국인 입장에서 그것을 이해하기는 쉽지 않으므로 한국어의 전문가가 이를 해석해 주는 것이다.

그런데 요즘에는 한국 사회에서 지역어에 대한 대중의 인식도 변하고 있는 것으로 보인다. 예전에는 부정적인 인식도 적지 않았지만 최근에는 개성적이며 매력적인 것으로 긍정적 인식이 많이 보이는 듯하다. 앞에서 언급한 것처럼 아이돌들이 본인의 고향 말을 적극적으로 사용하는 것도, 지역어를 사용하는 것이 대중에게 매력적인 개성으로서 긍정적으로 받아들여진다는 것을 알고 있기 때문이 아닐까.

최근에는 SNS에서 이런 게시물을 종종 보았다. 어떤 지역어를 타지역 사람을 위해 소개하고 설명하는 것 또는, "이 표현을 사용한다면 너도 광주 사람"과 같이 그 지역에서 대표적인 지역어를 모아서 정리한 게시물 등이다. 전자의 경우는 젊은 세대 사람들이 타 지역의 언어에도 많은 관심을 가지고 지역어 간의 차이를 즐기고 있음을 엿볼 수 있다. 후자의 경우는 같은 지역 사람들끼리 지역어라는 공통점을 매개로 공동체

인식을 강화하고 있는 것으로 볼 수 있을 것 같다. 본인의 고향 말을 적극적으로 공유하면 그것을 본 사람들이 "나도 이 표현 많이 쓰는데!"처럼 공감하면서 "역시 나는 광주 사람이구나"라고 재인식하게 되는 것이다. 그리고 그렇게 공감한 사람들은 또 댓글을 남기는 등 자신도 광주 사람임을 보이고자 하는 태도도 많이 보인다. 이처럼 젊은 사람들을 중심으로 각 지역어의 차이를 즐기거나, 개성으로서 적극적으로 드러내고 공유하고자 하는 모습들은 지역어에 대한 긍정적인 인식에 의한 것으로 볼 수 있지 않을까.

같은 광주 사람, 다른 언어

앞에서 광주 지역어와의 첫 만남을 소개하면서 광주에 와서 생각보다 지역어가 잘 안 들려서 아쉬움을 느낀 이야기를 했다. 필자가 광주에서 6년 가까이 생활하면서 알게 된 것은 같은 광주 사람이라고 해도 모두가 구수하게 지역어를 사용하는 것은 아니라는 것이며, 반대로는 들어도 이해가 안 될 정도로 구수한 말투로 이야기하는 사람이 있다는 것이다.

어떨 때는 기대했던 광주 지역어를 못 들어서 아쉬움을 느끼기도 하나, 어떨 때는 같은 광주 사람이 들어도 이해가 잘 안 되기도 한다. 전자는 필자가 광주로 처음 왔을 때 느낀 것이었고, 후자도 필자가 유학 생활을 하다가 실제로 경험한 일이다. 어느 날 광주

토박이인 지인의 할머니를 만나 뵐 기회가 있었는데 할머니가 하시는 말씀은 구수한 지역어였고 외국인인 필자에게는 이해하기가 매우 어려웠다. 할머니가 잠깐 자리를 비우시자 광주 토박이 지인에게 방금 할머니가 하신 말을 해석해달라고 부탁했는데 이 지인은 본인도 잘 이해하지 못했다는 것이다. 같은 광주 사람인데도 불구하고. 당연한 말이지만 같은 지역에 사는 사람이라고 모두가 똑같은 언어를 사용하는 것은 아니며, 개인 단위로도 모두가 그 사람만의 언어를 사용한다. 새로운 사람을 만날 때마다 새로운 언어를 만날 수 있다는 것은 아주 흥미로운 일이 아닐까 싶다.

또한 같은 표현도 사람마다 조금씩 다르게 발음하는 경우도 있다. 예를 들어 '그러니까'는 광주 지역에서는 사전에 등록되어 있는 '긍께' 이외에도 '긍까'로 발음하는 경우가 있으며, '그렇지'를 의미하는 지역어 '그라제'는 '글제'나 '글지'로도 발음하기도 한다. 오늘은 또 어떤 사람과의 만남이 있을까, 그리고 어떤 언어를 만나게 될까, 그런 생각을 하면서 사람들의 말에 주목해 보면 재미있는 발견을 하게 될지도 모른다.

나의 광주 지역어 선생님

필자는 광주에서 유학 생활을 하면서 다양한 광주 지역어를 들었다. 외국에서 온 필자에게 지역어는 아주 흥미롭고 신선한 것이었다. 그리고 광주에서 많은 만남을 경험하면서 광주에 대한 애착도 생기게 되었다.

필자는 새로 들어오게 된 커뮤니티에서 구성원들과
더 친밀한 사이가 되기 위해서는 그 커뮤니티에서만
사용되는 언어가 중요한 역할을 한다고 생각한다. 가령
학생들이 그들만의 언어, 예를 들어 끊임없이 만들어지는
신조어나 줄임말 등을 사용하면서 더 친밀한 관계를
형성해 간다거나, 어떤 분야에 정통한 사람들끼리 그
분야의 전문용어를 사용하면서 보다 깊이 있는 대화를
나누는 경우를 생각해 볼 수 있다.

어떤 커뮤니티에도 그 커뮤니티에서만 사용되는
언어가 있다. 그것은 외부인에게는 낯설고 가끔은 그
언어로 인해 의사소통이 잘 안될 경우도 발생한다.
그러나 반대로 생각해 보면 이 언어를 습득하고 잘
사용할 수 있게 되면 커뮤니티 구성원들과의 거리가
훨씬 더 가까워질 수 있다. 지역어도 마찬가지이다.
처음에는 낯설게 들려오는 지역어를 만약 구사할 수
있게 된다면 그 지역 사람들과의 거리가 많이 가까워질
것이다.

필자는 원래부터 지역어에 대한 관심이 많았던 것도
있지만 그런 생각도 있어 광주 지역어를 적극적으로
배우려고 노력했다. 지인들과 대화를 나눌 때는 자주
쓰는 표현에도 주의를 기울여보며, 대학원 수업을 들을
때는 교수님이 하시는 말을 주의 깊게 들어보며, 버스에서
승객이 전화로 이야기하는 소리가 크게 들려올 때는 그
말투에 주목해 보곤 했다. 광주에서 생활하면서 옆을

지나가는 모든 사람이 지역어 선생님이었다.

지인과 대화하면 "겁나 추웠어!" "다 먹어 불어~" "긍갑다"와 같은 표현을 들었다. '겁나'는 '굉장히'의 지역어로 사용하는 본인들은 이것이 지역어인 줄을 모르고 사용하는 경우가 많다. 같이 유학 생활을 하는 다른 외국인 지인도 지역어인 줄 모르고 사용했다고 한다. '불다'는 '버리다'의 지역어이며, '−ㄴ갑다'는 '−ㄴ가 보다'의 지역어이다. 특히 마지막의 '−ㄴ갑다'는 필자가 '몇 요일'이라는 표현을 선호해서 사용하는 것처럼 표준어보다 짧게 말할 수 있기에 이 표현 역시 필자도 선호해서 자주 쓴다.

대학원 수업을 들으면 교수님께서 하시는 말마다 어미에 '~잉'을 자주 들었다. 처음 들었을 때는 참 신기하다는 느낌이 들었고, 두 번째로 들었을 때는 왠지 귀엽고 친근한 느낌이 들었고, 나중에는 오히려 이 '~잉'이 없으면 무언가 부족하고 조금 덜 따뜻한 느낌이 들었다. 이것은 어디까지나 필자의 개인적인 느낌이지만 이 '~잉'이라는 말을 들으면 화자와 청자 간의 거리가 확 줄어들고 가까워지는 것이 있다. '~잉'이 사용되면 그 화자가 청자와 소통 중이라는 것을 다시 확인시키며 청자에게 부드럽게 반응을 구하는 듯한 뉘앙스가 느껴진다.

버스에서 어르신의 통화 소리가 들려오면 '아따', '오메'와 같은 감탄사나, '으짜쓰까잉', '인자'와 같은 표현을 많이 들었다. '으짜쓰까잉'은 '어짜쓰까잉', '우짜쓰까잉'

처럼 사람마다 다양하게 발음하지만 '어쩌지', '어떡하지'
의 지역어이다. 그리고 필자가 개인적으로 광주 지역어
가운데 애착을 느끼는 것 중 하나가 '인자'이다. 어떤
사람은 숨을 쉬듯이 '인자'를 자주 사용하는데, 듣고
있으면 '인자'에 의해 마치 물이 흘러 나가듯이 좋은
리듬이 형성되는 것 같아 나쁘지 않다.

광주말이 가득한 영화 〈택시운전사〉

필자는 한국에서 유학 생활을 하면서 적극적으로
한국 영화를 보았는데, 그중에서도 영화 〈택시운전사〉는
정말 인상적이었고 한 번 보는 것으로는 부족하여 여러
번 본 영화였다. 이 영화는 5·18광주민주화운동 당시 한
독일 기자가 광주의 상황을 세계에 알리려고 광주 현지로
취재하러 가는 것을 도운 택시 운전사의 이야기이다.
택시 운전사는 서울에서 광주로 와 광주 시민들과
소통하면서 5·18의 현실을 본인의 눈으로 보게 되는데,
필자처럼 5·18을 실제로 경험하지 않은 시청자들도 외부
사람인 운전사와 같은 입장으로 보게 되어, 더 몰입하고
시청할 수 있는 구조로 잘 만들어져 있는 것 같다.

〈택시운전사〉는 광주 민주화 운동 당시의 상황을
생생하게 전해주는 내용 그 자체가 아주 훌륭하지만,
광주의 매력이 가득 담긴 시민들의 말에 주목해 보는
것도 좋다. 다음은 택시 운전사인 만섭이 데모에
참여하는 대학생 재식과 나누는 대화이다.

만섭 : 서울이나 광주나 그 비싼 등록금 내고
데모하려고 대학 갔어? 공부하려고 갔을 거 아니야?
그럼 공부를 해야지, 공부를, 치
　재식 : 지는 공부할라고 대학 간 거 아닌디유
　…'대학가요제' 나갈라고 간 건디
　[재식과 만섭의 웃음]

　이 장면은 재식의 캐릭터가 아주 잘 표현된 웃긴
장면으로 개인적으로 마음에 들었던 장면이기도
하다. 재식의 말에서 '공부할라고', '나갈라고'라고
하는 부분이 있는데, '하려고'를 '할라고'로 말하는
것이다. 필자도 실제로 지인들이 '할라고'를 사용하는
것을 많이 들었으며, 이 표현도 필자가 지역어인 줄
모르고 사용했던 표현의 하나다. 이상하게 이 표현에
익숙해지고 나서는 '할라고'라는 표현이 '하려고'보다도
강한 의지가 느껴지는 것 같아 '하려고'를 사용하다가도
한 번씩 '할라고'를 사용하고 싶을 때가 온다. 이런 것이
지역어의 매력 포인트가 아닐까.
　다음은 만섭이 택시에 기름을 넣으려고 주유소에
와서 3천 원만큼만 넣어달라고 했으나 직원이 3천 원을
넘어도 주유를 계속하자 만섭이 직원에게 화를 내는
장면이다.

　만섭 : 이 양반이, 진짜 큰일 날 사람이네. 지금 뭐
하는 거야, 지금?

직원 : 아, 뭐 땜시 그요?

만섭 : 아니 3천 원만 넣어 달라 그랬잖아. 3천 원 몰라, 3천 원?

직원 : 어?

만섭 : 하, 나. 이런다고 뭐, 내가 돈 더 낼 줄 알아? 아무리 내가 여기 사람 아니라고 말이야. 장사를 이딴 식으로 하고. 몰라 몰라. 난 분명히 얘기했으니까 3천 원만 줄 거야.

직원 : 아따, 오메, 어째쓰까잉. 아 기사 양반 그 성질하고는. 이거 어차피 공짜 기름 좀 더 주겠다는디. 뭘 그라고 성질을 부려 싸요?

아이고, 그, 만땅 채웠으면 막 멱살 잡힐 뻔했구마잉, 참말로

[직원의 찬 웃음]

만섭 : 공짜…?

서울에서 온 만섭은 몰랐지만 이때 광주에서 택시 기사들이 데모에 참여하다 다친 사람들을 병원까지 태워주기도 했기 때문에 서로 도와주는 마음으로 주유를 무료로 제공하고 있었다. 만섭이 화를 내자 직원은 억울한 감정으로 인해 지역어가 더 구수하게 나오는 듯하다. '아따', '오메', '어째쓰까잉', 광주를 대표하는 지역어들이 한 번에 다 나온 것 같아 웃음이 나온 장면이었다.

사실 필자가 이 영화를 처음 봤을 때는 아직 지역어에

아주 익숙하지 않아 광주 시민들의 대사를 이해하지 못한 부분도 많았다. 그래서 그때 당시에 결정한 것은 광주 생활을 통해서 지역어에 조금 익숙해졌다 싶을 때마다 이 영화를 보자는 것이었다. 그렇게 해서 이 영화를 볼 때마다 실제로 어딘가에서 들어본 지역어가 나오면 반가운 재회를 즐겼던 것을 기억한다. 최근에 이 에세이를 집필하면서 영화를 오랜만에 다시 보았는데, 지역어를 통해서 예전에는 못 느꼈던 광주 시민들이 갖는 분위기가 느껴지는 것 같았다.

이 영화에서는 광주 시민들의 구수한 말투에 의해 영화 내용이 더 효과적으로 시청자에게 다가오는 것 같다. 민주화 운동 당시의 아픈 추억들이 광주 시민들의 말투를 타고 마음 깊은 곳까지 스며들어 오는 것을 느낀다. 어떤 장면에서는 다친 아들이 걱정되는 할머니의 애타고 불안해하는 모습이, 또 어떤 장면에서는 본인도 힘든 상황인데 여기는 걱정하지 말고 서울로 올라가라고 일부러 웃으면서 보내려고 하는 모습이, 군인에게 당하는 시민의 모습을 보기만 할 수 없다고 위험을 각오하며 도우러 가는 모습들이 지역어를 통해서 아주 생생하게 전달되는 것 같았다. 지역어는 단순히 단어의 의미, 전달하고자 하는 정보라는 내용적인 것 이상의 많은 것을 전달해 주는 것이라 생각한다.

5·18 공동체를 이룬 세 언어

전두영

▷
▷
▷

I. 들어가며

혹시 5·18과 관련한 영화를 본 적이 있나요? 제 머릿속에는 먼저 <화려한 휴가>(김지훈 감독 작품, 2007)라는 영화가 떠오르네요. 우리가 보통 5·18이라는 이름 때문에 마치 이 사건이 1980년 5월 18일 하루가 중심이 되어 그날에만 어떤 결정적인 일이 있었을 거라 생각하기 쉬운데 실은 항쟁이 여러 날 계속되었죠. 보통은 5월 18일부터 27일까지 10일간 항쟁이 지속된 것으로 보는데 <화려한 휴가>는 이 기간에 일어났던 일을 정면으로 다루고 있어요. 2007년 이 영화가 나오기 전까지는 사실 5·18만을 영화의 소재로 다루는 것이 쉬운 일은 아니었죠. <화려한 휴가>가 5·18을 정면으로 다루었다는 말은 이 영화가 상영될 당시가 5·18을 기억하고 기념할 수 있는 환경이 과거보다 상대적으로 자유로워졌다는 말이죠.

그렇다면 2007년 이전 영화들은 5·18을 어떻게 표현했을까요? 영화계에서 꾸준히 5·18을 부분적 소재로 사용하기는 했죠. 저는 우선 <꽃잎>(장선우 감독 작품, 1996)과 <박하사탕>(이창동 감독 작품, 2000)이 떠오르네요. <박하사탕>만 이야기하자면 영화에는 '면회 1980년 5월' 에피소드가 있는데 영화의 주인공인 영호는 계엄군으로 5·18 항쟁 진압을 나갑니다. 광주에서 영호는 오발탄에 의해 한 여학생을 살해하고 이 경험은 원죄가 되어 영호의 영혼을 파괴합니다.

혹시 기억날지 모르겠는데 2017년에 개봉한 영화 <1987>(장준환 감독 작품)에도 5·18 이야기가 나오죠. 대학 신입생이 된 연희(김태리 분)가 만화 동아리에서 대학 선배 이한열(강동원 분) 등과 함께 보는 비디오가 있죠. 이 비디오가 5·18을 현장에서 촬영한 이른바 '광주 비디오'인데 이 영상을 촬영한 사람이 제가 다룰 영화인 <택시운전사>(장훈 감독 작품, 2017)의 주요 인물인 독일 기자 위르겐 힌츠페터(Jürgen Hinzpeter, 1937~2016)입니다. 영화를 보신 분들은 아시겠지만 힌츠페터 기자는 삼엄한 통제 속에서 광주에 잠입해 항쟁의 현장을 촬영했죠. 이 영상은 세계에 전파되어 광주의 참상과 진실을 알리게 되었습니다. 물론 5·18에 대해 공개적으로 이야기할 수 없던 1980년대 우리나라 에서도 이 영상은 영화 <1987>이 보여주었듯이 은밀하게 광주의 진실을 알리는 역할을 담당했죠. <택시운전사> 에서 영화의 중간중간 흑백으로 특별한 효과를 주어 보여주는 장면들이 몇 개 있는데 이 장면들은 실제 힌츠페터 기자가 촬영한 '광주 비디오'를 각색한 것입니다.

II. 광주―세 언어가 만나는 공간

제가 <택시운전사>에서 주목하고 싶은 부분은 이 영화에 등장하는 언어입니다. 이 영화의 주요한 공간은 광주이지요. 영화 속에서 광주에 살고 있는 인물

대부분은 광주 방언(사투리)을 쓰고 있어요. 표준어를
사용하는 영화의 주인공 만섭(송강호 분)은 영어를
의사소통 수단으로 쓰고 있는 독일인 기자 피터(토마스
크레치만 분)와 함께 광주에 도착합니다. 두 사람이
광주에 도착해서 처음 만난 광주 사람들은 트럭을
타고 부상자가 있는 병원을 향하고 있던 청년들입니다.
그들은 모두 진한 광주 방언을 쓰고 있죠. 피터는
그들을 보자마자 그들이 중요한 취재의 대상임을
감각적으로 알아챘고 그들과 합류하죠. 만섭은 10만
원이라는 당시에는 꽤 큰 돈을 벌려는 일념으로 광주에
왔지만 피터가 광주를 찾은 진짜 이유를 알지는 못했죠.
비록 재식(류준열 분)의 통역이 완벽하지는 않지만
피터의 영어와 청년들의 광주 방언은 5·18의 현장 속에서
위화감 없이 섞이고 있습니다.

만섭은 왠지 이 만남 속에서 그저 이방인처럼
보입니다. 그는 분명 한국인이지만 오히려 피터보다
외국인처럼 보입니다. 그는 물론 청년들의 광주 방언도
잘 이해하고 피터의 영어도 곧잘 이해하지만 광주에서
그는 이들과 함께 어울리지 못하는데 이러한 그의 상황은
그가 병원을 향하던 트럭을 따라가는 듯하다 이내
서울로 택시의 방향을 바꾸는 장면에서 잘 드러납니다.
택시 안에서 만섭은 혼자 중얼거립니다. "저번처럼 괜히
데모하는 것들 옆에 있다 차라도 다치면, 누가 책임질
건데?" 이 영화의 주요한 공간적 배경인 광주뿐 아니라
서울에서도 학생들이 하는 시위의 대의에 만섭은 공감할

수 없었습니다. 자신은 돈을 벌겠다는 일념으로 중동에서
5년간 일했고 딸을 둔 홀아비로 매일매일 힘겨운 삶을
살고 있는데 시위하는 대학생들은 그의 눈엔 그저
'호강에 겨운' 젊은이들일 뿐입니다. 젊은이들을 이해하지
못하는 만섭의 태도는 재식의 불만을 일으키는데
재식은 만섭을 향해 "어찌 여그 외국 사람(피터)보다
이해를 못 한디요?"라고 퉁명스럽게 말합니다.

　의사소통의 차원에서 볼 때 한국인이 외국인과
외국어를 사용해 대화하는 것과 한국인이 표준어와
방언을 사용해 대화하는 경우에 어떤 대화가 더
매끄러울지는 분명해 보입니다. 그러나 영화에서 보듯이
같은 한국어 화자라고 하더라도 의사소통의 문제는
발생할 수 있죠. 두 사람 모두에게 외국어인 영어를
의사소통의 도구로 사용하는 피터와 재식 사이에서
특별한 의사소통의 문제는 보이지 않습니다. 사실
재식으로 대표되는 5·18 항쟁의 주체는 계엄군만을
상대로 싸운 것은 아닙니다. 영화에서 만섭으로
표상되는 항쟁의 이유를 이해하지 못하고 이해하지
않으려는 사람들과도 싸운 것입니다. 극적으로 만섭이
5·18 항쟁의 뜻을 이해하고 언어를 통해서도 그것이
표출되기 전까지는 그들과 같은 공간에서 움직이고
있는 만섭조차도 그들에게는 싸움의 상대였습니다.

　5·18 항쟁의 주체들은 항쟁이 진행될수록 고립감을
느끼는데 이 고립감을 벗어나게 해 줄 수도 있는 외신
기자 피터에게는 반가움을, 진실을 보도하지 않고

고립감을 형성하는 기성 언론에는 적대감을 보입니다.
광주MBC가 영화에서 항쟁의 주체들에 의해 불타는
장면은 이를 잘 보여줍니다.

외국인 피터는 이미 이 항쟁이 분명한 이유가 있고
의미가 있음을 기자의 직감을 통해 알아챘고 곧바로
5·18 공동체에 합류합니다. 물론 피터도 어디까지나
외국인이자 외부인입니다. 그가 서울에서 광주의
항쟁에 대해 제공받은 정보는 제한적이었고 그가
한국 주재 기자였던 것도 아니었습니다. 일본 도쿄에
있던 그가 광주까지 온 것은 그가 속한 언론사의 지시
때문이었고 그 지시에 따라 광주에 옵니다.

사실 항쟁이 있기 전 피터가 만섭과 크게 다른
사람은 아니었습니다. 광주의 한 가정집에서 식사하던
재식은 피터에게 왜 기자가 됐냐고 묻습니다. 피터는
자신이 기자가 된 이유가 단지 돈 때문이라고 답합니다.
앞서 말했지만 만섭은 돈 중심의 삶을 살고 있죠.
아내의 암 투병으로 많은 돈을 쓰게 된 그는 셋방에
살며 딸 아이를 키우는데 그가 소유한 택시는 그에겐
전 재산이기에 애지중지합니다. '열심히 일하면 잘 살
수 있다'는 신념 속에 그는 하루하루를 열심히 삽니다.
중동에서 적지 않은 돈을 벌었던 그는 대한민국이라는
국가에 대한 신뢰가 컸을 것입니다. 중동 근로자 파견이
국가가 주도한 사업이었고 그는 이러한 국가의 계획
속에서 돈을 벌었습니다. 이런 경험을 통해 그는 국가나
정부를 신뢰했고 정부에 저항하는 학생들을 고운

시선으로 볼 수는 없었습니다.

반면 돈 때문에 기자가 된 피터는 이제 '사건이
있으면 기자는 어디든 간다'는 기자 정신으로 광주에
왔고 자신으로서는 외국어인 영어를 사용하며
취재하고 있습니다. 의사소통의 어려움이 있지만 그는
항쟁의 이유를 이해하고 그 뜻에 공감했으며 위험을
무릅쓰고 취재를 합니다.

재식 그리고 피터에게 심리적 거리감을 지니고 있던
만섭이 이 항쟁이 '무언가 다르구나'를 깨닫는 것은 취재를
위해 세 사람이 함께 찾은 항쟁의 현장 때문입니다.
그는 시위라는 게 배부른 대학생들이 하는 것으로만
생각했는데 그의 눈에 새롭게 들어온 것은 남녀노소가
한데 어우러져 있는 항쟁의 모습이었습니다. 그들은
'아리랑'에 맞춰 춤을 추고 함께 먹을 것을 나누고
있었습니다. 광주에 오기 전 시위를 철이 없는 학생들만
하는 것으로 알았던 만섭은 자신이 현장에서 체험하고
있는 이 항쟁이 '무언가 다르구나'를 깨닫고 자신도 피터,
재식과 함께 항쟁의 현장으로 들어갑니다.

Ⅲ. 5·18 공동체의 형성

만섭이 5·18 공동체의 일원이 되었음은 그가
광주를 빠져나왔다가 다시 광주로 돌아가는 장면에서
확인됩니다. 광주로부터 멀리 떨어진 지역이 아님에도
불구하고 그 지역 사람들은 뉴스에도 나왔다며 항쟁이

'순빨갱이'와 '깡패'들의 소행이라고 말하고 있었습니다. 순천의 식당에서 TV 뉴스와 신문의 거짓 보도를 확인한 만섭이지만 그가 달리 할 일은 없었습니다. 시켰던 국수가 나오자 서둘러 먹던 그에게 식당 사장님은 주먹밥을 서비스로 주는데 만섭은 며칠 전 피터, 재식과 함께 항쟁 취재를 갔을 때 시민으로부터 받아서 먹었던 주먹밥이 생각납니다. 내적 갈등을 겪던 그는 차를 돌려 다시 광주로 향합니다.

광주로 돌아가 함께 했던 일행들을 찾던 그는 그들이 병원에 있다는 이야기를 듣고 병원으로 향합니다. 그곳에서 그는 피터가 주검이 된 재식을 발견하고 넋이 나가 있는 것을 보게 됩니다. 만섭은 이제 5·18 공동체의 일원이 되어 피터를 독려하며 "다시 찍어야지? 약속했잖아? 알리겠다고. 뉴스가 나가야 그래야 바깥 사람들이 알 거 아니야?"라고 말합니다. 사실 이 대화가 있기 전까지 만섭은 피터에게 말을 건넬 때 한국어와 영어를 섞어 쓰려고 노력합니다. 하지만 비극의 현장에서 만섭은 의사소통이 더 이상 두 사람 사이에서 문제가 되지 않을 것임을 직감적으로 알아채고 한국어로만 말을 건네고 피터는 그 말을 모두 이해합니다.

5·18 공동체의 일원이 된 만섭은 다시 촬영을 나가는 피터에게 "We go together."라고 말하며 금남로 현장을 향합니다. 그곳에서 그는 목숨을 걸고 부상자를 구합니다. 언어라는 게 한 사회의 문화를 크게 반영하는데요. 한국어는 영어와 비교할 때 '우리'라는

표현이 참 많습니다. 예컨대 영어에서 'my mom'이라고 말할 것을 한국어 화자들은 '우리 엄마'라고 표현하죠. 많은 경우에 '나'와 '우리'를 굳이 구분하지 않는 한국의 문화가 한국어에도 영향을 끼친 경우입니다. 영어권에서는 명확히 '우리'가 누구인지 정의되지 않은 상황에서는 'we'를 잘 쓰지 않습니다. 미드(미국 드라마)나 할리우드 영화에서 인물 간의 대화 중 'we'를 사용하는 인물을 향해 그 '우리'가 도대체 누구냐고 상대방이 묻는 장면이 종종 있는데 이러한 장면은 우리에 누가 속하는지를 항상 예의주시하는 그들의 문화를 통해 이해할 수 있습니다.

만섭이 피터에게 "We go together."라 말하고 피터가 만섭에게 "Together?"라고 되묻는 것은 두 사람이 이제 '너도 나'라는 고백을 통해 우리가 되어 함께 5·18 공동체를 형성했음을 보여주는 것입니다.[1] 나와 너가 만나 우리를 이루듯이 이제 만섭과 피터는 광주에서 한 가지 목표를 달성하기 위해 노력하는 하나의 공동체를 이루었습니다. 영화의 후반부는 그 노력을 우리에게 보여주고 있습니다.

IV. 광주에서 서울로, 그리고 세계로

이 영화는 관객을 긴장케 하는 여러 장면을 보여 주지만 그중 가장 압권이라 할 수 있는 장면은 광주를 빠져나가는 길에서 군인들로부터 검색을 받는 장면입니다.

1
철학자 김상봉 교수는 5·18 공동체가 계급, 성, 존재 기반의 차이를 넘어 '너도 나'라는 고백 위에 한 주체가 또 다른 주체의 고통스러운 부르짖음에 응답했던 공동체라고 주장합니다. 김상봉, 『철학의 헌정-5·18을 생각함』, 도서출판 길, 2015, 133쪽 참조.

아래는 그 장면에서 인물들이 주고받는 대화입니다.

군인 : 집이 어니십니까?

만섭 : 어, 집, 집은 왜?

군인 : 이 XX가, 대답 안 해? 너 전남 택시가 말투가 왜 그 모양이야?

만섭 : 이사 온 지가 얼마 안 돼가지고.

피터 : What's going on? Why are you stopping us?

서울 택시를 모른 체해 준 박 중사(엄태구 분)의 도움으로 두 사람은 이 검문소를 빠져나오지만 위 장면에서 만섭이 표준어를 쓰는 것은 '아차' 싶은 장면입니다. 광주 택시 기사들의 기지로 '전남 택시' 번호판을 택시에 단 만섭이지만 광주 방언을 쓸 생각은 못 했겠죠. 영화에서 가장 구수한 광주 방언을 사용하는 태술(유해진 분)이 만섭에게 사투리 일타강사로 광주 방언을 가르쳐줬으면 어땠을까 하는 생각도 듭니다. 상황이 상황이니만큼 광주를 빠져나오는 게 급선무였고 어떻게 언어까지 챙겼을까 싶기도 합니다만 무척이나 안타까운 장면인 것은 분명합니다.

검문검색을 지휘하던 박 중사는 만섭의 택시에서 '서울 택시' 번호판을 봤음에도 불구하고 그들을 보내주었죠. 이 장면을 본 많은 사람이 박 중사의 행동을 두고 '정말 저럴 수 있을까?'라고 의문을 보냈을 법합니다. 그러나 감독에 따르면 이 장면은 실제에 가깝다고 하네요.

힌츠페터 기자는 광주를 빠져나올 때 여러 사람이 모른 체하고 자신들을 도와줬다는 말을 생전에 했다고 합니다. 감독은 힌츠페터의 이 증언에 바탕해 박 중사 에피소드를 만든 것이죠.

정부 관계자로부터 쫓기는 만섭의 택시를 태술을 중심으로 한 광주 택시가 돕습니다. 희생을 결심한 태술은 만섭과 피터에게 마지막 말을 전합니다. "조심해서 가쇼잉. 여기는 걱정하지 마시고. 잉. (만섭과 피터를 향해 앞으로 가라는 손짓을 하며) 응, 잉, 잉" 그리고 태술은 뒤따라오던 정부 관계자들의 차를 향해 달려 충돌합니다. 태술의 진한 광주 방언은 진한 여운을 관객에게 남깁니다.

앞서 제가 대학생 재식을 '5·18 항쟁의 주체'라고 표현했죠? 사실 많은 사람들이 5·18 항쟁을 주도한 이들이 대학생을 중심으로 한 젊은이들이라고 생각합니다. 그러나 5·18을 기록한 사료들은 광주 시민 남녀노소, 각계각층이 항쟁의 주체가 되어 계엄군과 싸웠다고 말합니다. 아래는 5·18을 기록한 사료 중 택시 기사들의 항쟁을 다룬 부분입니다.

20일 오후 2시경 광주역 부근에 10여대의 택시가 모여들었다. "우리가 영업하다가 손님을 실어준 것이 무슨 죄길래, 죄 없는 운전기사들을 공수부대가 때려 패고 죽이느냐." "우리를 이런 식으로 곤봉과 대검으로 살해한다면 더 이상 영업을 집어치우고 싸워야 한다."

흥분된 의견들이 오고 가는 사이에 택시는 20여대로 불어났다. 기사들의 분노는 조직적으로 대응하자는 방향으로 모아졌다. …… 자신들의 집단행동에 큰 위험이 따를 것이라는 점은 누구보다 그들 스스로가 잘 알았다. …… 오후 6시까지 무등경기장에 모인 택시는 2백대가 넘었다. …… 택시는 그들 가족의 유일한 생계수단이었다. 하지만 지금 그들은 그 택시를 무기로 삼아 목숨을 던지겠다는 비장한 각오였다.[2]

위 기록은 택시 기사들 역시 5·18 항쟁의 주체였음을 잘 보여줍니다. 태술을 비롯한 광주의 택시 기사들은 만섭이 그랬던 것처럼 '택시가 그들 가족의 유일한 생계수단'이었지만 '그 택시를 무기로 삼아' 항쟁에 목숨을 바쳐 참여하였습니다. 영화 <택시운전사>가 5·18을 다룬 영화 중 돋보이는 점은 바로 평범한 이들이 항쟁의 주역으로서 담당했던 역할을 잘 보여주고 있다는 것입니다. 만섭과 태술은 택시 운전을 생계 수단으로 삼고 있는 서울과 광주의 평범한 택시 기사입니다. 재식은 공부보다는 노래대회 입상을 바라보고 대학 생활을 하는 평범한 대학생입니다. 이들은 모두 평범한 사람들이었지만 죄 없는 시민들이 계엄군에 의해 목숨을 잃는 참상을 보다못해 항쟁에 뛰어들었습니다. 택시 기사들의 항쟁을 다룬 위 인용문에 나온 것처럼 분노한 평범한 이들의 숫자는 택시 기사들의 숫자가 그랬던 것처럼 2배로 늘었다 곧 10배로 늘어났습니다.

2
광주민주화운동기념사업회 편, 『죽음을 넘어 시대의 어둠을 넘어』, 창비, 2017, 146쪽.

5·18 공동체의 구성원들이 영화에서 그려진 것처럼 평범한 사람들이었다는 사실은 5·18 항쟁의 주체를 새롭게 이해하게 합니다. 우리가 5·18을 떠 올릴 때 얼마나 위대하고 특별한 사람들이길래 그 현장에 있을 수 있었는지 자연스럽게 묻게 됩니다. 하지만 잘못 없는 시민들의 참상을 보고 그저 눈을 찔끔 감을 수 없었던 평범한 택시 기사들이 10명이 모였고, 그들과 마음을 함께 하는 이들이 20명이 되고, 어느덧 200명이 모였던 것처럼 5·18 항쟁의 주체는 우리가 어디서나 만날 법한 평범한 사람들이었습니다. 이 평범한 광주의 택시 기사 태술을 광주에 남겨두고 만섭과 피터는 광주를 빠져나옵니다.

　　일본 도쿄로 출발하는 피터와 만섭은 이제 공항에서 헤어집니다. 5·18 공동체의 구성원으로서 두 사람은 그들에게 맡겨진 일을 충실히 해냈습니다. 두 사람은 서로를 향해 "You did good job. You, you good job, too." 라고 말하는데 이는 외부인인 그들이 광주라는 낯선 공간에서 역사가 그들에게 부여한 임무를 다했음을 서로 확인하는 대화일 것입니다. 비록 만섭이 피터를 향해 "다음에 한국에 올 땐 한국말 배워서 와."라고 말하지만 더 이상 두 사람 사이에서 의사소통의 문제는 없는 듯합니다. 그들에게 주어진 임무를 수행하며 두 사람은 누구보다 더 가까워졌기 때문이죠.

V. 나오며

만섭과 피터 사이가 친밀해졌음은 피터가 영화에서 5·18 이후 여러 차례 만섭을 찾는 것을 통해 알 수 있습니다. 그러나 두 사람 사이에서 친밀감보다 더 중요한 것은 두 사람이 서로를 5·18 공동체의 구성원으로 생각했다는 것이겠죠. 피터는 자신이 촬영한 5·18 영상을 보도했고 광주의 참상은 독일뿐 아니라 전 세계에 알려지게 됩니다. 피터는 5·18 공동체의 구성원으로서 자신의 임무를 다한 셈입니다. 2003년 한국에서 언론상을 받기 위해 방한한 그는 수상 소감에서 5·18 당시를 회상하며 만섭의 도움도 떠올립니다. 앞서 말한 대로 영화 속 피터의 실제 인물은 위르겐 힌츠페터인데 그는 5·18 보도 이후 전두환 정권의 미움을 사 1986년 경찰들에게 당한 폭행으로 목뼈와 척추가 부러지는 중상을 당해 평생 후유증을 앓았습니다. 어쩌면 대한민국이라는 나라가 너무도 미웠을 법한 피터는 왜 계속 한국을 찾고 5·18에 대해 이야기하는 걸까요?

앞서 저는 피터가 자신이 촬영한 5·18 영상을 보도했기에 5·18 공동체의 구성원으로서 자신의 역할을 다한 셈이라고 말했습니다. 하지만 그는 자신의 역할이 아직 끝나지 않았다고 생각한 모양입니다. 2003년 '송건호 언론상'을 수상하며 그는 광주의 진실이 여전히 밝혀지지 않는 현실을 개탄합니다. 5·18의 가해자와 피해자 모두 1980년 오월 광주에서 있었던 일을 제대로 정리하지 못한 채 세상을 뜨고 있는 상황에서 하루속히 광주의 진실이 제대로 밝혀지기를 기원합니다.

다음으로 그는 광주 취재에 도움을 주었던 만섭에 대한 고마움을 전하고 있습니다. 그는 만섭의 용기가 없었다면 그가 촬영한 필름은 광주를 빠져나오지 못했을 것이라고 말하고 있습니다. 이에 비추어 볼 때 피터는 여전히 5·18 공동체의 구성원으로서 자신을 인식하며 행동한다고 말할 수 있습니다. 이런 그가 유언으로 광주에 묻히고 싶다고 말하고 2016년 국립 5·18민주묘지에 안장된 것은 그가 1980년 이후로도 5·18 공동체의 구성원으로서 살았다는 증거가 될 것입니다.

참고문헌

1. 기본 자료
장훈·엄유나, 〈택시운전사〉 시나리오, 필름메이커스 커뮤니티, 2017.

2. 저서
김상봉, 『철학의 헌정-5·18을 생각함』, 도서출판 길, 2015.
광주민주화운동기념사업회 편, 『죽음을 넘어 시대의 어둠을 넘어』, 창비, 2017.

욕봤소, 광주

사투리로 읽은 드라마 <오월의 청춘>

노상인

요즘도 마찬가지지만, 한때는 친구들과 만나면 MBTI (The Myers-Briggs Type Indicator) 이야기가 빠지지 않은 적이 있었다. 그리고 하루 종일 MBTI 이야기만 하다가 헤어진 적도 많다. 그러니까 우리들의 대화에 MBTI가 끼어들면 밑도 끝도 없어지는 것이다. 그건 '나도 그런데 너도 그래?' 아니면 '나는 그런데 너는 그래?'의 소용돌이다. 이야기 한 토막이 끝나면 누군가의 '근데'로 다시 시작되는 흥미진진 성격 탐색전. 나와 내 친구들 대부분은 서로의 다름을 알아가는 중에 나를 이해하는 이 MBTI 대화에 언제나 진심이다.

MBTI에는 인식 기능, 즉 사람이나 사물을 인식하는 방식의 선호를 나누는 감각(Sensing)-직관(iNtuition) 지표가 있다. 나는 이때 '파워 N'에 해당한다. 오감 및 경험에 의존하는 S보다 직관, 영감, 육감에 의존하는 경향이 높다는 뜻이다. 내 생각의 저장고에는 '만약에 ~~라면'이라는 가정법으로 시작되는 가볍고 짧은 생각들이 여기저기 널려있다. 이런 자유로운 생각의 파편들이 모여서 설명하기 어려운, 직관의 근거들이 되어주는 것이다. 소소하지만 기상천외한 생각들은 친구들과의 대화에서도 다 풀어내지 못한다. 아주 진부한 예를 들자면 이런 거다. 내가 뭐, 시간 여행을 할 수 있다면?

내게는 가능하다면 언제나 엿보고 싶은 시절이 있다. 바로 부모님의 20대 시절이다. 우리 부모님은 대학교 1학년 때 만나 7년 연애 후 결혼했다. 나는 청춘이라

할 수 있는 그 7년 동안 엄마, 아빠가 어떤 성격으로, 어떤 일상들을 살며, 어떤 일들을 함께 겪었는지 항상 궁금했다. 그 과정에서 지켜냈거나 변화시켰거나 혹은 단념할 수밖에 없었던 것들은 무엇이었을까? 딸인 나는 아무래도 사회에서는 지위를 가지고 전문적으로 일하며, 가정에서는 우리를 위해 매사 논리적인 선택을 하려는 부모님의 '진짜 어른'과 같은 모습을 먼저 볼 수밖에 없었다.

그런 엄마, 아빠가 좀 더 자유롭고 앳된 모습으로 옷과 외모에 신경 쓰면서 다방이며 노래방이며 도서관이며 대학교며 젊음을 찾아볼 수 있는 곳들을 온통 나다니는 부지런한 뚜벅이들이었다니. 별거 아닌 MBTI에 열중하는 우리들처럼 돌아보면 누구에게나 철도 없고 어려웠을 그들만의 20대가 있었다니. 그래서 나는 엄마와 아빠에게 그들의 과거를 자주 묻곤 한다.

그러면 부모님은 한참을 생각만 하실 때도 있고, 또 어떤 때는 막힘없이 이야기를 해주시기도 한다. 부모님은 두 분 다 80년대에, 광주광역시에 위치한 조선대학교를 졸업하셔서 당시 조선대학교의 모습, 당시 있었던 학생운동들, 광주 시내의 여기저기 길목들, 데이트를 했던 충장로 일대를 배경으로 한 이야기들을 해주시곤 한다. 그러다 보면 우리의 이야기는 가끔, 자연스럽게 1980년 5월로 향하게 된다.

부모님은 80년 5월 광주 5·18민주화운동이 일어났던 때에 고등학교 1학년, 2학년 학생이었다. 나는 부모님

덕분에 그렇게 멀게만 느껴졌던 80년 5월과 가까워질 수 있었다. 학교 교육을 통해 오월 광주를 배우거나, 소설이나 자료, 전시 등을 통해 당시 상황을 이해하고 마주한 것과는 다른 경험이었다. 부모님은 많은 이야기를 해주시진 않으셨나. 엄마는 문이나 창문이 있는 벽 쪽은 총알이 뚫지 못하게 모두 이불로 막았던 것과 가족들이 절대 집 밖으로 나가지 못하게 했던 것을 기억하셨다. 아빠는 좀 더 많은 이야기를 아주 단편적으로 해주셨다. 무슨 일인지 궁금해서 도청 쪽으로 가봤다는 것. 뭐에 맞았는지는 모르겠는데 길에 잠깐 기절해 있었다는 것. 도청 근처 사촌네 집에 머물렀다는 것. 그리고 이 글에는 쉬이 담을 수 없는 몇 가지 이야기들. 시간이 지날수록 아빠는 조금 더 편하게, 많은 이야기를 해주셨다.

나는 80년 5월의 시공간에 부모님이 있었다는 사실 하나로, 오월 광주가 내게 정말 가까운 과거라는 것을 갑자기 깨닫게 되었던 것 같다. 광주에서 내 곁을 스쳐 지나가는 사람 중에 얼마나 많은 사람들이 오월 광주를 개인적으로 그 자신의 몸과 마음 안에 담고 살아가고 있는 걸까?

드라마 <오월의 청춘>은 1980년의 광주를 배경으로, 26살이었던 희태와 명희의 짧은 만남과 사랑을 다룬다. 보안부대 대공수사과 과장 황기남의 아들 희태와 황기남에 의해 빨갱이로 몰려 고문을 받다 풀려났던 김현철의 딸 명희의 사랑이라는 구도는 그 자체만으로 그들의 미래에 시련이 있을 것임을 예견하기에 다소 통속적이다. 가족 관계가 그들에게 이미 충분한 걸림돌이기에 12부작인 드라마에서 7~8화까지도 그들의 사랑과 오월을 향하는 광주는 별다른 관계가 없어 보인다. 그러나 결국 그들을 갈라놓은 건 바득바득 이를 갈던 황기남이 아닌 광주 시민을 향했던 한 발의 총이었다. 희태와 명희는 극 중 시간이 5월 18일이 되었을 때부터 자의로든 타의로든 광주를 떠나지 못하게 된다. 그들이 광주를 떠나지 못했던 이유도, 총 한 발이 쏘아지는 것을 가능하게 했던 그 수많은 이유도 그들의 사랑 곁에 우리가 구체적으로 발견하고 확인해야 할 역사로 자리하고 있다.

그동안 오월 광주를 다룬 많은 영화와 드라마들은 전남도청 일대가 중심이 되었던 항쟁 기간, 즉 5월 18일부터 27일까지의 기간에 주로 주목해 왔다. 그러나 드라마 <오월의 청춘>은 항쟁 기간의 전체를 다루지도 않고, 구체적으로 다루지도 않는다. 오월이 시작되기 전에 만났던 희태와 명희의 이별 서사가 드라마의 중심이 되고 있기 때문이다. 게다가 희태는 서울대학교 의예과 졸업을 앞두고 광주에 잠시 내려온 학생이며, 명희는 광주 평화 병원 응급실에서 근무하는 간호사이기 때문에 드라마가 주로 주목하는 공간은 병원이 된다. 마찬가지로 희태와 명희는 그동안 숱하게 주목해 왔던 항쟁의 구체적인 장소들이 아닌 어떤 이름 모를 숲에서 죽음으로 인한 이별을 맞게 된다.

그들의 이야기는 극 중에서 41년 만에 발견된 유골처럼 실제 오월 광주의 공간에서 잊히고 묻혀버린 많은 이야기를 의미하는 것인지도 모르겠다. 그런 점에서 희태와 명희의 이별 서사는 오월 항쟁의 한복판에 있었을 수많은 개인의 이야기에 주목할 수 있게 해준다고 생각한다. 말하자면 개개인에게 구체적으로 남겨져 있는 오월 항쟁의 미시 서사들의 존재를 일깨워주는 것이다.

그리고 그런 점을 일깨우는 또 하나의 요인은, 이 교양서의 테마이기도 한, 극 중 황기남의 가족들을 제외한 모든 인물에게서 발견되는 광주 일상어, 즉 광주·전라도 사투리(방언)이다. 솔직히 말하면 광주에서 나고 자란 나에게도 조금 당황스러운 지점이었다. '이렇게까지?'라는 생각이 들 정도로 드라마 처음부터 끝까지 대부분의 인물들, 그러니까 잠깐 등장하는 단역 인물들까지 모두 단어와 억양 측면에서 광주 사투리를 강하게 구사하고 있었기 때문이다. 하지만 5·18민주화운동의 생존자, 부상자 혹은 유가족들의 인터뷰와 증언 그리고 그 채록집들을 확인해 보면 드라마 속 광주 사투리는 오월 광주를 재현하는 중요한 지점 중 하나였음을 알 수 있다. 그렇다면 지금부터 인물들의 대사를 중심으로 드라마 <오월의 청춘>의 몇 장면들을 구체적으로 들여다보고자 한다.

1. 아따, 누나가 쪼까 거시기 헐라나?

<오월의 청춘>은 김해원 작가의 청소년 문학『오월의 달리기』를 원작으로 하고 있다. 소설 속 주인공인 명수는 드라마에서 명희의 어린 남동생으로 등장한다. 부모님과 함께 나주에 살던 명수는 전국체전 달리기 부문 전남 예선을 2등으로 통과하여 전국체전을 준비하는 합숙 훈련을 위해 광주로 오게 된다. 아래 인용(1)은 명수가 예선을 통과한 후, 명희와 명수 그리고 그들의 아버지 현철이 함께 식사하는 장면이다. 명수는 과거 사건에 대한 오해가 쌓여 사이가 좋지 않은 아버지 현철과 누나 명희 사이에서 눈치껏 분위기를 띄우느라 바쁘다.

(1)
명수 : (분위기 띄우려) 아따, 일케 셋이서 외식하는 게 얼만 만이대. 엄니랑 할머니도 왔음 좋았을걸. 누나! 나 전국체전 때도 와줄 거제?
명희 : (괜히 메뉴판 정독) 체전은 언젠디?
명수 : 강원도에서 5월 말에… (아차) 옴메, 그땐 누나 거시기 헐라나.
현철 : 뭐가 거시기 헌디?
명희 : (여전히 메뉴판만) 명수 니 사이다도 먹을래? (명수, 발로 툭) 뭐.
그때 마침 짜장면 나오자, 다시 분위기 띄우는 명수.
명수 : 오메오메! 짜장면 맛있겠다! 잘 먹겠습니다.[1]

1
이강, 『오월의 청춘1』, 김영사, 2021, 130쪽.

'아따'는 광주 사람들이 많이 쓰는 감탄사다.
국어학이 전공이 아닌 나에게 '아따'는 어느 맥락에
쓰는 감탄사인지 좀처럼 정확히 구분해 내기가 쉽지
않다. 그러나 확실히 '아따'는 명수의 감탄사처럼 눈치껏
상황을 볼 때 쓰는 경우가 있다. 예컨대 누가 심한 말을
해서 긴장된 분위기를 풀려고 할 때 "아따, 뭔 그런
말을 해?" 아니면 명수처럼 상황이 좋을 때도 쓰고,
나쁠 때도 쓴다. "아따, 오랜만에 보니까 좋네." "아따, 뭔
상황이다냐?" "아따, 뭔 차가 이렇게 막힌다냐?" 등등.
　명수가 쓰는 '옴메' '오메!'도 '워메!'와 함께 자주
쓰이는 감탄사인데, 위 문맥에서 '아따'와 '옴메',
'오메'가 자리를 바꿔도 딱히 어색할 것 없어 보인다.
어쨌든 명수는 어린아이답게 부녀가 틀어지게 된
그간의 복잡한 사정을 잘 이해하지 못하고 있고,
마찬가지로 사정을 잘 이해하지 못하더라도 상황이
좋게 흘러가기를 바라며 천진하게 감탄사까지 쓰면서
분위기를 풀려 애쓴다.
　아버지 현철은 보안대에 끌려가 간첩 혐의를 받다가
고문에 못 이겨 억울한 죄목을 받고 감옥살이를
했었다. 그런 탓에 딸 명희가 고등학생 때 학생운동
선동 혐의로 똑같이 억울하게 잡혀들어가자 무조건
죄를 인정하고 하라는 대로 하라고 설득한다. 현철이
겪은 일을 알지 못했던 명희는 그때부터, 자신에게
숨죽이며 살아가야 한다고 말하는 아버지와 점차
멀어지게 되었다.

그래서 명희는 5월 말에서 6월 초 사이에 떠나기로 결정된 독일 유학을 아직 아버지에게 말하지 못한 상태다. 다만 누나의 유학 예정을 알고 있었던 명수가 전국체전이 열리는 5월 말이 그 기간과 겹친다는 것을 깨닫고 "옴메, 그땐 누나 거시기 헐라나."라고 말한다. 아버지가 알면 안 된다는 사실을 알고 있어서 "거시기 허다."라고 그 내용을 감춰서 표현한다. 그래서 현철도 "뭐가 거시기 헌디?"라고 그 내용을 되묻는다. '거시기', '거시기하다'도 광주 일상어에서는 꽤 다양한 문맥에 쓰인다. 지시 내용이 정확히 생각나지 않을 때, 혹은 지시하고자 하는 내용이 있어도 적절한 표현이 생각나지 않을 때, 그리고 명수처럼 에둘러 말하고자 할 때도 쓰인다. "쪼까 거시기하다."라는 말처럼 뭔가 탐탁지 않음을 표현할 때도 자주 쓰인다.

속 깊은 명수는 이렇게 두 사람 사이의 관계를 신경 쓰며 분위기를 잘 풀어내고자 노력한다. 다만 간첩 혐의와 학생운동 선동 혐의가 만들어낸 부녀 사이의 안타까운 갈등처럼 전국체전으로 향하는 명수의 여정 또한 항쟁을 무자비하게 진압하는 국가 폭력에 의해 어려움을 겪게 된다. 그러나 부녀 사이의 연결고리 역할을 했던 명수는 두 사람의 보호와 사랑으로 살아남아 마지막까지도 그들을 잊지 않고 기억하는 사람으로 등장하게 된다.

2. 싸게싸게 합시다!

이번엔 명희와 희태의 이야기로 넘어가 보자. <오월의 청춘>에서는 등장인물들이 정말 자주 쓰는 광주 일상어가 있었다. 바로 '싸게', '싸게싸게'이다. 너무 많이 쓰여서 인용하자면 한참이겠지만 지면상 몇 대목만 인용해 보겠다.

(2)

희태 : 퇴짜는 아님 좋겠네요. 전 그쪽 계속 만나보고 싶거든요.

명희 : (듣는 둥 마는 둥, 잡아끌며) 예, 저도요. 그럼 싸게싸게 들어가 보셔요.

희태 : (뭐지? 끌려가며) 어… 그럼, 또 보는 거죠?

명희 : 예, 예. 연락주세요. (택시 태우며, 탕탕) 아저씨, 오라이! 출발출발!

희태 : 아니 잠깐만, 연락을 어떻게… (하는데 문 탁 닫히고)[2]

(3)

명희 : 겁나 곤히 주무셔서. (마음 쓰이는) 그 혹시, 병원 일이믄 제가…

희태 : (말 막는) 겁나 곤히 주무셔서? 명희 씨, 나 자는 거 들여다봤어요?

명희 : 아, 아니 들여다보기는 누가… 그냥 멀리서 봐도 곤히 자고 있응께…!

2
이강, 『오월의 청춘1』, 김영사, 2021, 114쪽.

희태 : (웃고) 예, 그렇다고 쳐요. 전 그럼 오후에 과외가 있어서. 이따 집에서 봐요. (하고는) 이렇게 말하니까 꼭 같이 사는 사이 같다, 그죠.

명희 : 뭔, 말도 안 되는···! (밀치며) 아, 싸게싸게 가기나 해요.[3]

인용(2)는 명희가 친구 수련의 맞선 자리를 대신 나가면서 희태와 처음 만나 시간을 보내고 집으로 돌아왔을 때의 장면이다. 물론 그곳은 명희의 집이 아닌 수련의 집이다. 자신을 수련이라고 속이고 나오게 된 명희의 사정을 모르는 희태가 굳이 집까지 배웅해 주겠다고 해서 함께 수련의 집으로 어찌어찌 왔는데, 그 집 앞에서 수련의 오빠 수찬을 마주치게 될 위험에 처한 것이다. 이때 명희는 희태에게 '싸게싸게' 들어가 보라고 말하며 택시에 태워 급하게 보내버린다.

인용(3)은 그 뒤로 시간이 지나 희태가 명희에게 고백한 후 답을 기다리고 있는 사이에 위치한 장면이다. 희태가 명희에게 낯부끄러운 소리를 하자 명희는 '싸게싸게' 가라며 희태를 밀쳐버린다. '싸게싸게'는 '빨리빨리'라는 뜻인데, 드라마에서 '싸게싸게'가 쓰인 다양한 문맥을 보면 조금 미묘하다. 단순히 속도가 느려 시간의 단축을 재촉하는 '빨리빨리'라는 뜻보단, 쉽게 즉 간단하고 단순하게 생각하려 하는 행동을 재촉하는 의미가 드러난다.

3
이강, 『오월의 청춘1』, 김영사, 2021, 228쪽.

(4)

병철 : 잉? 명희 씨 왜 왔어. 오늘 쉬는 날 아녀?

명희 : 보호자로요.

병철 : (희태 보고, 놀리려) 엥~? 명희 씨한테 보호받는 요 남성분은 누구래? 기타 본께 가순가? 대가리 깨진 거 본께 대학생 같기도 하고…

명희 : (심사하게) 애인이요.

병철 : 애인?! 누구, 명희 씨 애인?!

명희 : 예. 긍께 싸게 좀 봐주씨요. 저짝 자리 비었죠잉? (먼저 앞장서면)[4]

앞의 인용-(3)에서는 '싸게싸게' 말고도 '겁나', '-믄', '-하믄', '있응께' 등의 다양한 광주 일상어가 등장하는데 이는 인용-(4)에도 마찬가지이다. '잉' '본께' '긍께' '-씨요' '저짝' 등을 확인할 수 있으며 여기에도 마찬가지로 명희의 '싸게'가 보인다. 병철은 명희가 근무하는 평화병원 응급실 의사로, '싸게'가 쓰인 명희의 말은 문맥상 빨리, 다친 희태의 머리를 확인해 달라는 뜻이다.

연인이 된 희태와 명희는 결국 희태의 아버지 황기남을 피해 광주를 떠나기로 하지만, 광주를 떠나기 전 각자 마지막으로 들릴 곳(명희는 동생 명수에게, 희태는 친구 혜건에게)을 다녀오다가 공수부대원들이 휘두르는 폭력에 속수무책으로 당하고 만다. 실제로 1980년 5월 광주에서 공수부대원들이 거리를 지나는 젊은 청년들에게 무차별 폭행을 가하고, 그들을 연행했던 사실들은

4
이강, 『오월의 청춘2』, 김영사, 2021, 169쪽.

자료들을 통해 확인해 볼 수 있다.[5] 희태와 명희는
공수부대원들에게서 가까스로 도망칠 수 있었지만,
머리를 다쳐서 피를 흘리는 희태를 치료하기 위해
명희가 근무했던 광주평화병원으로 돌아오게 되었다.

3. 시방 그냥 떠나믄 안되겠어?

병원으로 돌아온 희태와 명희는 그들처럼 부상을
당해 들어온 사람들이 늘어나 병원에 발이 묶이게
된다. 희태는 국시를 통과한 예비 의사이고, 명희는
간호사이기 때문이다. 그들은 외면할 수 없는 혼란한
'현재'에 윤리적으로 붙들리게 된다. 따라서 드라마에는
언제부턴가, 조금 정확히 말하면 극 중 시간이 5월
18일이 된 전후부터 사전에 의하면 '말하는 바로
이때에'를 가리키는 부사 '시방'이 많이 등장한다.

(5)

희태 : 뭐 하잔 거예요? 아침 되면 바로 떠나자고
약속했잖아요, 어제.

명희 : 시방 환자가 넘쳐서 병상도 부족할 지경이요.
희태 씨도 봤잖애요.

희태 : 봤으니까 이러죠! 모르겠어요? 지금 일반적인
상황이 아니에요.

명희 : 글믄, 그냥 가자고요? 환자들 저러고 냅두고?

… (중략) …

5
황석영·이재의·전용호,
(사)광주민주화운동기념
사업회 엮, 『죽음을 넘어
시대의 어둠을 넘어』, 창비,
2017, 60~73쪽 참조.

병철 : 둘이 시방 뭐해. 바빠 죽겠는디.

희태와 명희, 목소리에 뒤돌아보면… 흰 가운 잔뜩 든 병철, 희태 향해서 말한다.

병철 : 시방 일손 부족해서 다른 과 인턴에 예과생들까정 나와 돕는 판에, 의사면허도 있으신 수석 입학 황희태 씨는 뭐하는가?

희태 : (보면)

병철 : (가운 건네며) 도울 거믄 입고 들어오고. 안 입을 거믄, 명희 씨한테 주고 가쇼잉. 응급실은 의료진 외 출입금지니께. (들어가면)[6]

'시방'은 사전에 의하면, '말하는 바로 이때'를 뜻하는 명사 그리고 '말하는 바로 이때에'를 뜻하는 부사로, 표준어에 해당한다. 위의 인용(5)를 보면 "시방 지금 환자가 넘친다.", "시방 지금 바쁜데 둘이 뭐 하냐.", "시방 지금 일손이 부족하다." 등의 문맥에 쓰이고 있음을 확인할 수 있다. 사실 '시방'이 사투리인 줄 알았는데 찾아보니 아니어서 적잖이 당황스러웠다. 하지만 '시방'은 인용(5)에서도 확인할 수 있듯이 대체로 사투리가 쓰인 문장들에 조금 더 자연스럽게 어울리는 것으로 보인다.

명희와 희태는 이제 환자와 보호자가 아닌 의사와 간호사로서, 부상을 입고 병원에 들어오는 이들을 살피게 된다. 그들은 병원으로 들어오는 환자들이 처음에는 머리를 다친 사람들에서 점차 자상을 입은 사람들 그리고 총상을 입은 사람들로 변하고 그 수가 늘어나는 것을

6
이강, 『오월의 청춘2』, 김영사, 2021, 183-184쪽.

보며 지금 광주에서 일어나는 일들에 대해 경악과 분노를
금치 못한다. 그들의 대화에서 반복해서 나타나는 '시방'은
대낮에 하나둘 부상자들이 밀려들어 오기 시작하는
긴박하고도 알 수 없는 '이 지금'의 광주를 느끼게 해준다.

  그럼에도 나는 병원에 남은 희태와 명희에게 언제나
'시방 그냥 떠나믄 안되겠어?'라고 말해주고 싶었다.
실제로 광주를 벗어날 방법은 없을 것 같다는 암울한
생각이 동시에 들었지만 말이다. 한참 후에야 명희와
희태는 황기남에 의해 한 번 더 헤어짐의 고난을 겪고서
명희가 다니는 성당으로 이동하게 된다. 이후 '시방 제발
좀 떠나!'라는 말을 해주고 싶은 또 하나의 장면이 등장
한다. 바로 마지막 회에서 명희와 희태, 그리고 명희와
명수가 헤어지는 장면이다. 이 장면에 대한 감상은
스포일러를 막기 위해 그만 줄이도록 하겠다.

4. 욕봤소, 광주.

  다음은 명희의 아버지 현철과 명희의 어린 남동생
명수의 대화이다. 드라마의 중요한 장면으로 보이기도
하고, 광주 일상어를 확인해 볼 수 있는 또 하나의
대목이기도 하다는 점에서 길게 인용해 보겠다.

  (6)
  현철 : 요 시계, 느그 아부지가 누구한티 받은 건 줄
아냐?

명수 : 할아버지 돌아가시면서 물려주신 거잖아요.

현철 : (고개 젓고) 사실 물려받은 거는 아부지 형님이여. 나가 딱 명수 니만 할 때, 형님이 집 나가믄서 다시 나한테 물려준 거여. 가장 하라고.

명수 : 왜 집을 나가붓대요?

현철 : 아부지 형님도 가족보다 더 중한 게 있었거든, 느이 누나처럼… 명수 니도 어른 되믄 몰라. 더 중한 게 생길지도.

명수 : (삐쭉) 아닌디. 난 죽을 때까정 우리 가족이 쩰로 중한디.

현철 : (픽) 니 접때 무등경기장 가본께 어떻디. 학교 운동자보다 훨씬 컸제?

명수 : (흥분) 아따, 학교 운동장이랑 무등경기장은 차원이 다르죠!

현철 : (머리 쓰다듬으며) 비슷한 거여. 가족도 당연히 중하지만은, 인생엔 가끔 무등경기장 맹키로 더 크고 중한 것이 있어.

명수 : (쉽게 이해되지 않는 듯, 현철 바라보면)[7]

명수는 병원에 남는 것을 선택한 누나 명희를 두고 입이 삐쭉 나와 "난 죽을 때까정 우리 가족이 쩰로 중한디"라고 말한다. 그런 명수에게 아버지 현철은 어린아이의 눈높이에 맞춰 "무등경기장 맹키로 더 크고 중한 것"이 있을 수 있다는 비유를 통해 다정한 위로를 건넨다. 속 깊은 명수는 얼마 지나지 않아 거리를

7
이강, 『오월의 청춘2』, 김영사, 2021, 293쪽.

청소하는 사람들, 헌혈을 하려고 길게 줄 선 사람들, 음식을 나누는 사람들을 보며 "무등경기장 맹키로 더 크고 중한 것"이 무엇인지 스스로 깨닫는다. 우리 또한 명수의 눈을 통해 당시 오월 광주를 살아가던 사람들에게 무등경기장 맹키로 소중한 일상과 친구 가족들, 이웃들 그리고 지켜내고자 했던 그들의 신념이 있었음을 알 수 있다.

마지막으로 드라마에 등장하는 많은 광주 일상어를 뒤로하고 '욕보다'라는 표현으로 글을 마무리해 보고자 한다. '욕보다'는 상대가 고생스러운 일, 수고로운 일을 겪을 때 사용하는 광주 일상어이다. 드라마에서 이 '욕봤다.'라는 표현은 심심찮게 등장한다. 5·18민주화운동과 직접적으로 관련된 일을 가리키고 있지는 않지만 명희도, 희태도, 수련과 수찬도 모두 서로에게 '욕봤다.'라는 위로의 말을 건네거나 전해 듣는다. 몇 대목만 인용해 보겠다.

(7)
수찬 : 어찌 모른 척 하겠냐. 니가 집안의 대들보일 것인디… (농담) 하여튼 이수련이 니는, 우리 첫째들 마음을 죽어도 이해 못 할 것이다.
수련 : (괜히 빈정) 웬 우리?
수찬 : 명희 니도 아직 애긴디… (초콜릿 주며) 욕본다, 어른 노릇 한다고.[8]

8
이강, 『오월의 청춘1』, 김영사, 2021, 65-66쪽.

(8)

명희 : 여부턴 저 혼자 갈게요.

희태 : 왜요!? 같이 가요, 바로 코앞인데.

명희 : 바로 코앞인게 혼자 가죠. 또 진아 보면 괜히 시끄럽고.

희태 : 진아 지금 한창 숙제하느라 정신없을 텐데.

명희 : (웃고) 혼자 갈게요.

희태 : 그래요, 그럼. (마주 보며 서는) 오늘 소풍 즐거웠어요, 명희 씨.

명희 : (미소로) 저도요… 진짜로 욕보셨소, 오늘.[9]

작가는 대본집의 '작가의 말'에서 광주에 따뜻한 위로를 건네길 바라는 소망으로 드라마를 기획했으며, 그 방향이 '남겨진 사람들을 위한 이야기'로 향하고 있다고 밝혔다. 나는 "욕봤소, 광주"라는 표현을 생각해 보았다. 오월 광주는 앞으로도 지속해서 조사되어 보다 많은 자료가 수집되고 분석되고 기록되고 보존되어야 하며, 그 의미와 가치 또한 기억 작업들을 통해 보다 다양하게 발굴되어 확장되고 이어져야 한다는 점에서 결코 완료되거나 완성되거나 끝이 있을 수 없다. 그런 점에서 "욕봤소, 광주"가 적절한 표현인지 여전히 스스로 의문이 남아 있기도 하다. 다만 이 말을 시작으로 다음 세대로서 오월 광주의 정신을 이어받으며, 희생자들에게 애도를 표하고, 여전히 해결되지 못한 불의에 맞서 투쟁하는 많은 분께 작가의 말에 보태어 위로의 말을

9
이강, 『오월의 청춘1』, 김영사, 2021, 4-6쪽.

건네고 싶다.

　드라마 <오월의 청춘>을 보면서 인상 깊었던 장면은 두 번째로 만난 희태와 명희가 하천길 꽃나무 아래의 벤치에 앉아 대화하는 장면이다. 드라마에서는 꽃잎이 흩날리는 커다란 벚나무 아래 발목이 삔 명희와 그런 그녀를 돌보아 주는 희태를 담아냈다. 이 장면은 2화 끝 무렵에 등장한다. 드라마의 이 장면을 통해서 나는, 오월이 얼마나 아름다운 계절인지 새삼스레 깨닫게 되었다. 여러 색의 꽃들이 저마다의 크기로 소소하고 화려하게 피고 졌을 1980년의 그 계절에도 많은 사람들이 동료들과 가족들과 나누는 사소하거나 진중한 이야기를 따뜻한 바람에 담아 보내며 이내 내릴 봄비를 기다리고 있었을 것 같다. 내가 친구들과 어딘가 엉덩이 붙일 곳을 찾아 앉아 MBTI에서 시작될 수 있는 여러 갈래의 이야기를 나누듯이, 부모님과 시간을 넘나들며 많은 일화 속에서 찾아낸 감정과 생각을 다양한 표정으로 함께 나누듯이 말이다. 오월 광주가 지켜낸 것과 잃어버린 것이 무엇인지 이렇게도 접근해 볼 수 있을까? 만발한 꽃이 지기 전에 부지런한 발걸음을 재촉하는 아름다운 오월의 모습이 1980년 5월 광주의 시공간을 현재로 잇는 또 하나의 길을 알려주고 있다는 것을 기억해 볼 수 있을 것 같다.

기초자료
각본 이강, 오월의 청춘, 연출 송민엽. 2021.05.03~2021.06.08 방영, KBS2.
이강, 『오월의 청춘1,2-이강 대본집』, 김영사, 2021.
황석영·이재의·전용호, (사)광주민주화운동기념 사업회 엮, 『죽음을 넘어 시대의 어둠을 넘어』, 창비, 2017.

나 광주어로 말해?

조하진

아마 대부분의 사람이 최소 한 번은 이런 질문을 해봤을 것이라고 생각한다. "나 표준어로 말하지 않아?" 이 질문은 지방에 사는 사람이라면 더 자주 해봤을 수도 있다. 나만 해도 고등학생 때 반 친구들이 서로 이런 질문을 하는 것을 종종 볼 수 있었다. 그리고 이 물음 뒤에는 "너 정도면 표준어지."라는 대답이 돌아온다. 과연 질문을 한 사람은 진짜 표준어를 쓰고 있을까? 아마 방금의 대답은 같은 지역에 혹은 동네에 살고 있는 사람의 말일 것이다. 그렇다면 우리 지역이 아닌 다른 지역에 살고 있는 사람에게 똑같은 질문을 한다면 어떤 대답이 돌아올까? 똑같은 대답을 듣기는 어렵다. 대부분 "너 사투리 심하다."라는 말을 들을 것이다.

그렇다면 지방에 살고 있는, 그중에서도 광주에 살고 있는 우리가 표준어를 사용하고 있다고 생각하는 이유는 무엇일까? 그 이유는 주변에 있는 모든 사람이 다 똑같은 말을 사용하기 때문이다. 사람은 필연적으로 자신의 또래 집단 그리고 가족과 가장 많은 시간을 보낸다. 그리고 그 또래 집단, 가족의 말이 본인이 사용하는 말의 기준이 된다.

나는 기억이 있는 시절부터는 광주에서 살았다. 그리고 부모님의 고향은 각각 장성과 서울이다. 서울에 있는 가족들과 대화할 때는 '내가 지금 사투리를 쓰고 있나?'라고 생각하고, 장성에 있는 가족들과 대화할 때는 '다들 사투리 진짜 심하다.'라고 생각한다. 이처럼 말은 주변의 환경에 영향을 받는 상대적인 것이라고 할 수 있다.

이쯤에서 드는 의문이 있다. 우리는 언제부터 본인의 말을 사투리, 지역어라고 인지했을까? 더 어릴 때는 물론이고 초등학생, 중학생 때에도 지역어와 표준어를 구분하기는 어렵다. 특히 나의 어린 시절을 생각해 보면 대부분의 매체에서 표준어만을 사용할 수 있었기에 말에 어떤 차이가 있는지를 알기 어려웠다. 지금은 광주 지역어라고 알고 있는 '몇 요일'이나 '뒤질래?'도 예전에는 지역어라고 생각하지 못했다. 어린 시절에는 그저 친구들과 격앙된 억양으로 이야기하고, 어디서 듣고 온 처음 듣는 표현을 원래 알고 있었던 것처럼 말하기 바빴다.

스스로의 말이 지역어라고 깨달은 것은 고등학생 때이다. 고등학생 때부터는 신기하게도 다른 지역에서 전학을 오고 가는 친구들이 많이 있었다. 우리 반도 학기 초에 대전에서 한 친구가 전학을 왔다. 학기 초의 모든 아이들이 그렇듯 그 친구도 반에 자연스럽게 녹아들면서 친해졌다. 한껏 친해진 우리에게 그 친구가 했던 말은 "너네 사투리 진짜 심하더라."였다. 그 말을 듣고 반 아이들은 모두 서로를 쳐다보기 바빴다. 스스로가 하는 말이 지역어라고는 단 한 번도 생각해 본 적 없는 표정들이었다. 그리고 다들 하나같이 같은 말을 했다. "뭐가 사투린데?"

지방에 거주하는 사람으로서 본인이 하는 말이

표준어가 아님을 인지하는 계기는 다들 한 번쯤 있었을 것이다. 나처럼 다른 지역 사람의 말이었을 수도 있고, TV 방송이나 유튜브 플랫폼을 통한 영상이었을 수도 있다. 지금은 예전과 달리 여러 방송에서도 지역어를 쉽게 접할 수 있기에 매체를 통해 지역어를 인지할 수 있는 가능성이 큰 편이다.

방송에서 지역어가 활발히 이용되기 시작한 것은 비교적 최근이며 20년도 채 되지 않는다. 그 이유는 한때 지역어가 표준어와 대비되는 개념으로 비표준적인 언어이며, 부정적인 언어로 인식되었기 때문이다. 표준어 정책으로 인해 지역어는 시골의 말이자 표준어가 아닌 것, 나아가 없어져야 할 말을 의미하게 되었다.[1] 그 영향으로 방송 심의 또한 표준어를 중심으로 규정되었다. 1958년부터 2013년 까지의 방송 심의 규정에서는 표준어 사용에 있어서 '방송언어는 원칙적으로 표준어를 사용하고, 고정 진행자는 방송 중 표준어를 사용하여야 한다.'라고 명시하며, 지역어 사용을 배제하였다. 방송에서의 지역어는 오락 방송에만 한정되었고, 그 외의 방송에서는 지역어가 사용되는 예를 찾아보기 어려웠다.

표준어 관련 규정이 개정된 것은 2014년이다. 2014년에 개정된 규정에는 '다만, 불가피하게 사투리를 사용하는 때에는 특정 지역 또는 인물을 희화화하거나 부정적으로 묘사하여서는 아니 된다.'라는 규정을 추가하여, 지역어의 사용이 극히 예외적인 경우에만

1
홍경수(2019), '드라마의 주된 언어 사용이 지역출신 청년의 감정, 인식, 행동에 미치는 영향-tvN 드라마 톱스타 유백이 수용자 심층 인터뷰', 한국콘텐츠학회논문지 19(9), 한국콘텐츠학회. 366쪽.

가능함을 규정하고, 지역어의 이미지가 지역민들에게 불쾌감을 주지 않아야 함을 명시하였다. 해당 규정이 개정되기 전에 호남 지역어는 드라마나 영화에서 주인공이 아닌 조폭, 깡패 등 부정적인 인물들의 말로 사용되어 지역민의 반발을 부르기도 했다.

시간이 지나며 지역어에 대한 방송 심의 규정은 점차 완화되었다. 그에 따라 최근에는 tvN 드라마 <톱스타 유백이>, <응답하라 시리즈>, <우리들의 블루스> 등 주인공이 지역어를 사용하는 예를 쉽게 찾아볼 수 있다. 드라마뿐만 아니라 SBS <런닝맨>, tvN <놀라운 토요일>과 같은 예능에서도 지역어를 활용한 게임을 진행하기도 한다.

또, 최근에는 SNS(Social Network Service)의 발달로 인해 인스타그램, 페이스북, 틱톡 등에서도 지역어에 관한 콘텐츠가 유통되기도 한다. 인스타그램이나 페이스북에서는 각 지역을 대표하는 마케팅 채널에서 '너희 이거 사투리인지 알고 있었어?', '귀여운 광주 사투리' 등의 제목으로 지역어를 소개하고 있으며, 틱톡에서는 '에헤이 마, 하모 댄스 챌린지' 등 지역을 알리는 숏폼(short form)을 찾아볼 수 있다.

이처럼 다양한 매체에서 지역어 콘텐츠를 활발히 생성하며, 과거와 다르게 지역어에 대한 접근성이 상당히 높아졌다. 이에 요즘에는 전보다 본인의 말이 지역어임을 인지할 수 있는 계기가 더 많지 않을까 생각한다. 광주 안에서 친구의 말을 듣고 "이거 광주말이야!", "이거 사투리야!"라고 한다거나 다른 사람의 말을 듣고 "너 사투리 쓰는구나!"라고 말하는 일도 더 많을 것이다.

지역어는 어떤 이미지를 형성한다. 경상도 사투리를 예로 한번 생각해 보자. "오빠야~" TV나 유튜브에서 쉽게 볼 수 있는 경상도 지역어는 흔히 귀여운 이미지로 나타난다. 표준어를 쓰던 사람이 갑자기 고향 사투리를 말할 때 혹은 모두가 표준어를 쓰는 공간에서 혼자 지역어를 쓸 때 그 귀여운 이미지는 더 긍정적이고 매력적으로 비치기도 한다. 그렇다면 광주 지역어는 어떨까?

광주에도 매력적인 광주어는 존재한다. 최근에는 드라마나 영화에 전라도 지역을 배경으로 한 배역이 많이 만들어지면서 다양한 매력적인 말을 찾을 수 있다.

"야 있냐."

광주어 하면 빼놓을 수 없는 말이다. 드라마나 영화에서도 찾아볼 수 있지만 주변에 광주 혹은 전라도 친구가 있다면 꼭 한번은 들어봤을 것이다. '야 있냐'는 표준어로 보면 '있잖아'이다. 실제로 뭐가 있는지 없는지는 물어보는 표현이 아니다. 주로 대화를 시작할 때, 새로운 이야기를 시작할 때 사용한다. 나 또한 친구들과 말하다 보면 '야 있냐'를 쉽게 발견할 수 있다. 하다못해 실제 대화가 아닌 카카오톡 대화에서도 누군가가 말할 때 '있냐'로 시작하기도 한다. 사실 '야 있냐'는 그 자체가 하나의 덩어리는 아니다. '야'는 상대방을 부르는 표현이고 '있냐'는 '내가 이야기할 테니 들어달라'는 의도를 가진 표현이다. 그래서 '있냐'가 다른 표현과 만나 '그런데 있냐', '근데 있냐'로 쓰이거나 '있냐' 그 자체로 나타나기도 한다.

한번은 친구들과 '있냐'에 대해 이야기를 한 적이 있다. "너네 '있냐'가 사투리인 거 알고 있었어? 서울은 '있잖아' 잖아." 사실 다들 무의식적으로 쓰는 말이었기 때문에 '있냐'가 사투리인지 표준어인지에는 전혀 관심이 없었다. 그저 '있냐'로 말을 시작해야 자연스럽게 생각됐고, 이미 표현이 입에 붙어버려서 다른 방식으로 대화를 시작할 수 없는 상황이었을 뿐이다. 사투리라고 지적받으면 의식적으로 표현이 바뀔 수도 있는 법인데 '있냐'는 전혀 그렇지 않았다. 친구들은 "'있냐' 사투리야? 그래?"라고 말할 뿐 여전히 대화할 때 '있냐'를 사용한다.

친한 사람들과 말할 때만 나타나는 표현이긴 하지만 친구들이 '있냐'를 사용하지 않으면 이제는 섭섭한 것 같기도 하다. '있냐'는 이미 나와 친구들 사이에서 친근한 사이에 사용하는 표현으로 자리 잡았기 때문일 것이다. 친구가 "야 있냐"라고 말하면 실제로 뭐가 있는지 없는지를 물어보는 게 아니라는 것을 알면서도 "뭐가 있는데?"라고 말하며 서로 웃기도 한다. 표현의 표면적 의도와는 다른 실제 의미가 귀엽게 느껴진다. "야 있냐."

"아따"

"아따 무슨 제2의 6.25 터져부렀는가?"

<응답하라 1988>에서 성동일 배우의 대사이다.
전라도 사투리를 구사하는 성동일 배우의 대사를
잘 들어보면 대부분 '아따'로 시작하는 것을 알 수
있다. '아따'는 큰 의미가 있는 표현은 아니다. 그러나
대사에서도 알 수 있듯이 전라도, 광주 사람들이 많이
사용하는 감탄사에 해당한다. 문맥의 흐름에 따라
빈정거리는 등 부정적인 의미로 쓰일 수도 있고, "아따,
물론이지!"처럼 긍정적인 의미로도 쓰일 수 있다. 말을
시작할 때 이어지는 말을 강조하는 역할이라고도 할 수
있을 듯하다.

광주어를 듣다 보면 이런 사소한 표현이 광주어의
매력을 더 잘 보여주는 게 아닌가 싶다. 지금까지 살면서
경험한 바로는 광주어는 특별난 어휘가 많다기보다는
억양이 그 지역어의 특성을 잘 보여준다고 생각된다.
그리고 '아따'는 그 억양의 특성을 드러내는 표현 중
하나이다. '저 사람 말 진짜 구수하게 한다.'라고 느끼는
순간은 대부분 억양에 있다. 아무리 지역어 어휘를 잘
사용한다고 할지라도 억양에서 지역어의 느낌이 묻어나지
않는다면 그저 지역어를 잘 따라 하는 표준어 화자일
뿐이다. 즉, 우리는 억양을 통해 지역어의 매력을
느낀다고 할 수 있다.

그리고 앞서 말했듯이 '아따'는 그 억양의 매력을 잘
드러내는 표현이다.

"아따 무슨 제2의 6.25 터져부렀는가?"
"무슨 제2의 6.25 터져부렀는가?"

'아따'가 있고, 없는 두 표현을 비교했을 때 '아따'가
있는 첫 번째 표현이 더 구수한 느낌을 준다. 평소에
지역어를 자주 접하는 나에게는 '아따'가 있는 말의
억양이 귀에 생생히 남아있는 듯하다. 광주 혹은 전라도
사람이 말할 때 '아따'를 금지당한다면? 아마 말을 하기
상당히 어려울 수도.

"감푸다"

요즘은 주변에서도 많이 표준어를 사용한다고는
하지만 그래도 장성에 계시는 할머니, 할아버지 말씀은
절반 이상이 지역어였다. 그래서 나름 친구들보다는
광주, 전라도 지역어는 잘 알고 있다고 생각하는
편이었다. 또 어렸을 때부터 맥락을 상당히 잘 읽는
아이였기 때문에 모르는 말은 눈치껏 맥락을 통해
의미를 추론하고 이해하곤 했다. 지금까지 직접적으로
어떤 단어를 (지역어라서) 잘 모른다고 말한 적은
없었는데, 성인이 되고 나서 처음으로 모르는 단어를
만나게 되었다.

"우리 애가 감푼 아이라서 너가 힘들 것인디…"
장례식장에서 교회 권사님의 손자인 초등학생 아이를
봐주며 들었던 말이다. 원래 모르는 게 생기면 곧장

물어보거나 검색하는 편이었지만 이때는 상황이
상황인지라 바로 의문을 해결할 수는 없었다. 나는
난생처음 듣는 그 말을 머릿속에 꼭꼭 간직해두었다가
집에 오자마자 바로 찾아보았다.

처음에는 '감푼'을 '감픈'으로 들었기 때문에 비슷한
말을 찾을 수조차 없었다. 발음의 여러 가능성을 두고
검색을 해 봤지만 그 비슷한 말조차 사전에서 찾지
못했다. 그래도 여전히 의미가 궁금했기에 당시에는
검색을 포기하고 맥락으로 '고집이 센', '산만한' 등의
뜻이라고 추측하기만 했다. 그리고 답을 찾게 된
것은 비교적 최근의 일이다. 과제를 하기 위해 전라도
지역어를 알아보다가 '감푸다'라는 단어를 발견한
것이다. 그렇게 약 8개월 동안 간직했던 의문은
해결되었다.

지금까지 광주, 전라도 말을 하고 들으면서 살았을
때 그 표현이 표준어와 완전히 다르다고는 생각해 본
적 없었다. 형태에서는 차이가 있어도 실제 발음을
들어보면 맥락으로 쉽게 유추할 수 있거나 발음적으로
유사해서 대응되는 표준어가 무엇인지 금세 떠올릴
수 있었기 때문이다. 그런 생각을 바꿔준 계기가 바로
'감푸다'였다. '감푸다'는 '다루기가 힘들다'는 의미가
있고, 주로 개구쟁이 어린이들이 많이 듣는 말이라고
한다.

이날 이후로 '감푸다'는 나에게 광주어 하면 떠오르는
표현 중 하나가 됐다. 오랫동안 명확한 의미를 모른 채

기억에 담아두기만 해서 그럴 수도 있지만 '힘들다'라는
말보다 '감푸다'라고 말하면 한숨을 쉬면서 말하는 듯한
느낌이 들기 때문에 그 의미가 더 강렬하게 다가온다.

"잠오다"

요즘은 SNS에서도 광주어를 자주 소개하는 경향이
관찰된다. SNS에는 각 지역의 관광지나 유명한 매장,
맛집, 카페 등을 소개하는 '비즈니스 계정'들이 있다.
광주도 물론 그런 비즈니스 계정이 존재한다. 광주시나
지자체에서 운영하는 공식적인 플랫폼은 아니지만 SNS
이용자들 사이에서는 상당히 높은 이용률과 파급력을
가지고 있음은 물론이다.

이런 계정은 어떤 장소를 소개하는 것 외에도 광주가
가지고 있는 특색을 보여주는 게시물을 업로드하기도
한다. '이거 광주 사투리인 거 알았어?'라는 제목으로
가끔 색다른 표현을 소개해주는 게 그 예이다. 이
게시물을 보고 나는 내가 요일을 물어볼 때 "오늘
몇 요일이야?"라고 말하는 걸 인지했고, 매일 밤마다
말하는 "잠온다"가 지역어라는 것을 깨달았다.

한번 깨달은 후로 '잠오다'와 관련한 글을 찾는 것은
어렵지 않았다. '잠오다'는 '졸리다'의 지역어 표현으로
광주뿐만 아니라 경상도와 전라도에서 종종 찾아볼 수
있기 때문이다. 서울로 대학을 간 전남 사람이 친구들과
대화 중 "좀 잠 오는데?"라고 했을 때, "'잠오다'가

뭐야, 졸리다 아니야?"라는 일화 또한 있다. 이 일화가 인터넷상에서 조금 유명해진 후로 다른 지역 친구들과 '잠오다'와 '졸리다' 중 어떤 말을 쓰는지 서로 확인하는 일은 비일비재해졌다.

'졸리다'가 그 자체로 '자고 싶은 느낌이 들다, 자고 싶은 느낌이 있다'는 의미를 가진 어휘라면, '잠오다'는 '잠'과 '오다'가 결합하여 새로운 의미를 만든 합성어에 해당한다. 사실 '잠'은 '상태'를 의미하기 때문에 동작의 움직임을 나타내는 '오다'와 결합할 수 없다. '잠' 자체가 이동하는 것은 불가능하기 때문이다. 그러나 지역어 에서는 '잠'을 직접적으로 오고 가는 대상으로 표현함 으로써 잠이 나를 찾아온다는 의미로 '잠오다'를 사용하고 있다.

'잠오다'에 너무 익숙해진 탓인지 항상 잠들기 직전의 순간이 오면 "나 잠 와."라고 말하게 된다. "나 졸려." 라고도 말할 수 있지만 표현의 익숙함이 "잠 와."를 무의식적으로 선택한다. 그 이유는 내가 '광주어'로 말하는 사람이기 때문일 것이다. 그렇다면 이 책을 읽는 여러분은 어떤 표현을 무의식적으로 선택하는가? "잠 와." "졸려."

"잉"

개인적으로 광주에서 어르신들 말을 듣다 보면 정말 귀엽다고 생각하는 표현이 있다. "그러제잉",

"이상하네잉" 말끝마다 '잉'을 붙이는 것이다. 표준어로
바꾸면 '그렇지', '이상하지'로 간결히 끝나는 말인데도
끝에 '잉'을 붙여서 특유의 동글동글한 느낌을 준다.
'잉'은 또래와 이야기할 때보다 어른들과 이야기할 때
더욱 자주 들린다. <응답하라 1988>에서도 성동일
배우가 대사의 끝에 '잉'을 붙이면서 말하는 것을
찾아볼 수 있다.

　내가 기억하는 맨 처음 들은 '잉'은 할머니의 말씀
이었다. "아야, 거기 우에 잘 찾아봐라잉." 할머니는 항상
말끝에 '잉'을 붙여서 말씀하셨다. 지역어에 대한 개념이
없던 어린 시절에는 부모님에게 "할머니는 왜 말끝에
'잉'이라고 하셔요?"라고 물어보기도 했다. 그러니까
한때는 말끝에 붙는 '잉'이 상당히 불편했다. 그냥
딱딱 말할 수 있는데도 꼭 '잉'을 붙이니까 어색하게
느껴지기도 했다.

　그런데 지금은 전혀 아니다. 지금의 나는 '잉'이 광주,
전라도 지역어의 특색이라고 생각한다. 우리 할머니
께서도 여전히 '잉'을 쓰시는데 이제 '잉' 없이 말씀하시는
할머니는 상상조차 할 수 없다. 또래 사이에서는 듣기
어려운 표현이기 때문에 '잉'은 정말 간혹, 어른들과
이야기할 때나 들을 수 있는데 그래서인지 드라마나
영화에서 '잉'이 나오면 상당히 반갑다. '아따'랑 같이
쓰면 그 매력이 배가 되는 것은 물론이다. "아따, 그러다
죽겠다잉."

"ㄹ라고"

대학생 때 버스를 타고 통학하는 내가 버스를 타지 않는 방법은 부모님의 출퇴근 시간에 맞춰서 학교에 가고 집에 가는 것이었다. 우리 집에서 학교까지 버스로는 50분 정도였다. 그러나 집에서 정류장까지, 정류장에서 학교까지 걷는 시간을 포함하면 약 1시간 10분 정도였기 때문에 짐이라도 많은 날에 버스를 타는 것은 정말 고역이었다. 그래서 수강 신청 때마다 부모님의 출퇴근 시간에 맞는 시간표를 짜려고 얼마나 머리를 싸맸는지 모른다. 남들이 다 공부하는 시험 기간에도 버스를 타기 싫었기 때문에 딱 저녁 먹기 전까지만 공부하고는 했다.

그렇게 학교에 있다가 집에 가려고 가방을 싸고 있으면 친구들이 "이제 집에 가?"라고 물어봤다. 그러면 나는 "응, 지금 집에 갈라고."라고 대답했다. 언제부터 였는지는 모르지만 나는 '-려고' 대신에 '-ㄹ라고'를 쓰고 있었다. 직접 말할 때는 물론이고 카카오톡이나 SNS를 할 때조차 '-ㄹ라고'를 썼다. 그리고 내가 '-ㄹ라고'를 쓰고 있다는 사실을 깨달은 지는 얼마 되지 않았다. 내 친구들은 '-ㄹ라고'가 지역어인지도 모르고 있다. 눈에 띄는 다른 표현들과는 다르게 '-ㄹ라고'가 발음이나 형태가 '-려고'와 비슷하기 때문일까?

대부분의 사람이 그렇듯 나 또한 내가 표준어를 주로 쓴다고 생각했다. 그런데 무의식적으로 '-ㄹ라고'를 쓰는 나를 발견하고 나 자신이 광주 사람이라는 것을 새삼스레 깨달았다. 이렇게 각자가 무의식적으로 쓰고 있는 광주어 혹은 자신의 지역어가 다들 분명히 있을 것이다. 이 말은 어디서 배웠을까? 사람의 언어 습관은 절대 그냥 만들어지지 않는다. 사회적 환경의 영향을 어느 정도 받기 때문에 본인의 주변에 똑같은 지역어를 쓰는 사람을 찾아볼 수 있을 것이다.

곰곰이 생각해 보면 나 또한 '—르라고'를 사용하기 시작한 것은 친구들의 영향인 것 같다. 특히 카카오톡이 보편화된 이후부터 지역어를 더 많이 사용하기 시작했다. 아마 같은 공간에 있지 않아도 소통이 가능하며, 구어적 표현을 눈으로 읽을 수 있다는 특징 때문일 것이다. 한번은 날을 잡아서 친구들과 서로의 말투, 대화 특징에 대해 이야기해봐도 재미있을 것 같다. 우리는 자신의 습관은 늦게 깨달아도 다른 사람의 습관은 쉽게 발견하는 편이니까.

이 글을 쓰면서 나는 스스로의 언어 습관을 되돌아보고, 주변 사람의 말을 관찰하는 시간을 가졌다. 그리고 그 시간은 생각보다 즐거웠다. 그동안 자신의 내면이나 외모는 되돌아봤어도 자신의 언어를 되돌아보는 시간은 없었기 때문일 것이다. 말은 빠르게 변화하고 보존하기 쉽지 않기 때문에 기억하고, 기록하는 작업이 필요하다. 그리고 자신의 언어 습관을 되돌아보는 것은 그 시작이다. 이 글을 읽는 사람들도 기회가 된다면 스스로의 언어를 살펴보기를 바란다.

생각보다 재미있는 현상을 발견할지도 모른다. 그리고
그렇게, 지금, 현재 우리가 사용하는 말이 바로
'일상어'이다. 우리의 '일상어'는 자신이 속한 집단, 사회,
환경을 복합적으로 담아내고 있다.

창작판소리 〈오월 광주〉 사설에 드러난
광주민중의 항쟁 정신

손효원

해마다 오월이 되면 솔솔 불어오는 바람을 맞아 광주가 슬픈 분위기에 휩싸게 된다. 40여 년이 지나도 5월 18일은 광주 민중들이 잊을 수 없어도 잊지 못한 날이다. 이날은 광주 민중의 무거운 추억을 담고 있기 때문이다. 1980년 5월 18부터 5월 27일까지 열흘 동안 광주 시민들이 군사독재에 대항하여 민주주의 실현을 요구하기 위해 계엄군에 맞서 싸웠다. 이 사건은 '5·18 민주화운동'이라는 공식적 명칭으로 규정하기 전에 '광주항쟁', '광주학살', '광주사태' 등으로 부르기도 한다.

공수부대의 무차별적 폭행으로 말미암아 많은 사상자가 발생하였다. 그리고 당시 집권 세력에 의해 사건의 진상이 왜곡되어 오랫동안 파묻힌 채로 있었기 때문에 5·18은 한국 현대사의 비극으로 간주된다. 그러나 독재를 반대하고 민주주의를 지키고자 하는 광주 민중들은 무력 탄압에 굴하지 않았다. 그들의 항쟁은 한국 사회의 민주주의 발전에 크게 기여하였다. 말하자면 5·18은 한국 민주화 사회를 이루는 과정에서 내딛는 중요한 한 걸음이라고 할 수 있다.

5·18의 실상과 가치, 민중의 항쟁 정신을 더 많은 사람에게 알리기 위해 이를 소재로 한 소설, 연극, 영화, 미술 등 다양한 문화예술 작품이 창작된다. 매년 5월 광주에서는 5·18을 기념하는 행사도 집중적으로 거행한다. 이와 관련된 기념행사는 희생자 추모제에 그치지 않고 공연, 전시회, 학술대회, 체험활동 등으로도 이루어진다. 이 중에 임진택이 창작한 창작판소리

<오월 광주>는 판소리의 표현 방식에 입각한 새로운 판소리 작품이며 5·18 기념행사에서 흔히 볼 수 있는 공연으로서 주목받게 된다.

판소리는 일종의 '음악 문화'이자, 소리꾼·고수 및 청중과의 일체감을 통해 구체화하므로 '공연 문화'로 간주한다. 또한 서사적 측면에서 볼 때 그 내용은 각종 이야기로 구성됨으로써 '언어문화'로 간주하기도 한다. 이러한 판소리는 한민족의 독창성과 공감대를 바탕으로 이루어지기 때문에 흔히 한국의 '민족 문화'로 일컫는다. 17세기 말 18세기 초기에 형성되었으리라 추측되는 판소리는 원래 열두 마당이 있었던 것으로 알려졌다. 그러나 현재까지 사설과 곡조가 온전히 전해져온 것은 <춘향가>, <심청가>, <흥부가>, <수궁가>, <적벽가> 등 다섯 마당밖에 없다. 이 다섯 마당의 판소리는 '전통 판소리' 범위에 속하고 있으며 '오가(五歌)'라고 칭하기도 한다.

20세기에 들어서 전승 환경의 변화로[1] 인해 전통 판소리는 소멸 위기에 처하게 되었다. 1960년 이후 판소리가 무형문화재로 지정되면서 국가 측면에서 보호받게 되었다. 또한 1960·70년대는 박정희 정권이 장기 집권을 획책하는 시기로서 민족주의적 경향이 강하게 드러나는 시대적 조건을 가지고 있어서 민중적 성격이 강한 판소리와 같은 문화예술에 대한 관심이 고조되면서 이를 복원하거나 재창조 작업을 통해 시대정신을 담아내려는 노력도 병행되었다.[2] 1980년대는 한국사의

1
'20세기에 들어와 판소리의 전승 환경은 전통사회의 그것과는 사뭇 다르게 변모되어 갔다. 두드러진 변모의 특징으로, 실내 극장의 설립, 판소리의 창극화, 재담극·신파극 등 새로운 극양식의 등장, 여성 창자의 대거 등장 등을 꼽을 수 있다.' 김기형, 「창작판소리의 사적 전개와 요청적 과제」, 『구비문학연구』 18, 구비문학학회, 2004, 5쪽.

2
김연, 「창작판소리 발전과정 연구」, 『판소리연구』 24, 판소리학회, 51쪽.

발전과정에서 매우 격변의 시기로서 점차 민주화의 방향으로 전개되면서 민중운동이 변혁운동의 영역으로 자리 잡게 되었다.[3] 이때 문화운동가인 임진택은 전통 판소리가 갖는 당시대적 의미를 되돌아보고 '판소리가 어떤 역할을 할 수 있겠는가?'라는 물음을 던졌다.

　옛판소리의 생성과 발전은 봉건체제하에서의 근대적 의식의 깨어남일 뿐 아니라 당시 사대주의적 문화성향에 빠져 있던 양반층의 고답적인 자세를 밑바닥부터 뒤집어엎는 새로운 민족적·민중적 자각을 의미한다. 민족적이고 민중적인 것, 그것이야말로 우리 시대가 완수해야 할 문화적 대변혁을 향한 필연적인 과정이자 목표이다. 판소리는 그러한 목표와 과정을 향해가는 민족·민중문화운동선상에서 가장 전진적인 역할을 감당할 수 있는 기본 틀을 갖고 있으며, 그것은 판소리에게 주어진 하나의 업보(業報)일 수가 있는 것이다.[4]

　위의 인용문에 의하며 그 물음의 해답을 찾을 수 있다. 즉, 판소리는 그 시대의 현실적 문제의식을 담을 수 있는 그릇으로서 문화운동에서 적극적인 역할을 할 수 있다는 것이다. 임진택은 판소리의 이런 성격을 인식하게 되어 판소리 재창조 작업을 시도해 보았다. 그는 1985년부터 김지하의 담시 <똥바다>, <오적>, <소리내력>을 창작판소리로 재창작하고 발표하였으며,

3
김연, 위의 논문, 55쪽.

4
임진택, 『민중연희의 창조』, 창작과비평사 1990, 235-236쪽.

1990년에 직접 사설을 쓰고 창곡을 붙여 5·18민주화
운동을 다룬 판소리 작품 <오월 광주>를 만들어냈다.
새로운 판소리 작품을 창작하기는 결코 쉬운 일이 아니다.
작품의 핵심적 이야깃거리가 무엇인지를 생각하는 것은
판소리 창작의 전체이며 기초이다. 임진택도 <오월 광주>
를 창작하는 데 이에 대해 고민한 바가 있었다.

옛판소리의 이야기 줄거리에는 반드시 주인공이
설정되어 있다. …(중략)… 그러나 필자는 <오월 광주>를
창작함에 있어 개인의 일대기로서 이를 다루는 방법은
피하기로 마음먹었다. 왜냐하면 한 사람의 행적을
추적하는 방법으로는 항쟁의 발단에서 마지막 사수
까지를 상세하게 규명하기 어려운 면이 있고 또 항쟁에
참가한 그 많은 사람들의 입장을 객관적으로 고루
대변해주기 어렵겠다는 생각에서였다. 그래서 판소리
<오월 광주>는 인물 중심으로 전개하지 않고 사건
중심으로 전개하기로 계획하였다. 즉 이 작품의 기본
줄거리는 광주민중항쟁 열흘 동안에 일어났던 사건들의
장엄한 서사적 기록 그 자체를 중심으로 삼는 것이다.[5]

위의 내용을 통해 <오월 광주>의 핵심적 이야깃거리는
바로 1980년 5월 18일부터 5월 27일까지 열흘 동안
발생했던 민주화운동과 관련된 일련의 사건이라는 것을
알 수 있다. 5·18민주화운동의 전개 과정, 민중들의 항쟁
정신 등을 청중들에게 더 효과적으로 전달하기 위해

5
임진택, 위의 책, 252-253쪽.

임진택은 사설 짜임에 많은 심혈을 기울였다. 이야기의 구조와 성격에 바탕을 두어야 사설 창작이 가능함으로 이 글에서는 먼저 <오월 광주>의 내용을 파악하겠다.

<오월 광주>의 내용은 5·18 사건의 전개 과정 순으로 4부분으로 나눌 수 있다. 첫째 계엄 포고의 확대와 공수부대의 만행, 둘째 광주시민의 시위 합세와 도청 탈환, 셋째 투쟁파와 투항파의 대립, 넷째 수습위의 해체와 도청을 사수하던 항쟁 지도부의 장렬한 죽음[6] 등이다. 다음으로 개별 내용에 해당하는 사설 대목을 분류하여 사설에 드러난 광주민중들의 항쟁 정신을 구체적으로 파악해 보자.

내용 분류	사설 대목
1계엄포고의 확대와 공수부대의 만행	10·26 사건과 그 여파 대목, 과도정부 개헌서 유포 대목, 서울역 앞 학생 시위 대목, 햇불 대행진 대목, 비상계엄령 선포 대목, 오월 광주 점화 대목
광주시민의 시위합세와 도청 탈환	화려한 휴가 대목, 시민들이 시내로 몰려나오는 대목, 전두환이 정체 캐는 대목, 제1차 금남로 전투 대목, 방송국 방화 대목, 전옥주가 가두 방송하는 대목, 신역 전투 대목, 시민공동체 대목, 술집 아가씨들도 헌혈하는 해방 광주 대목, 시민군의 암구호 대목, 계엄군의 광주 봉쇄 대목, 시민들이 시민군 맞이하는 대목, 유가족 시신 수습 대목, 어떤 아낙이 시신 부여안고 통곡하는 대목, 시위 행렬 대목, 시민들이 삐라 내용 보고 욕하는 대목, 미국이 항공모함 보낸 이유를 놓고 설왕설래하는 대목
투쟁파와 투항파의 대립	시민 성토 대목, 소나기 피하는 시위대열 대목, 한 청년이 비를 맞으며 연설문을 낭독하는 대목, 박남선이 분통 터뜨리는 대목, 원로인사와 청년 운동권이 서로 호소하는 대목, 고교생이 투항파 청년을 조롱하는 대목, 시민군 대표 연설 대목
수습위의 해체와 도청을 사수하던 항쟁 지도부의 장렬한 죽음	투쟁위원회 결성 대목, 대통령 담화문 발표 대목, 비상사태 대목, 계엄군 장교와 시민군 대표가 협상하는 대목, 민중항쟁 지도부 행정업무 집행 대목, 항쟁 회상 대목, 시위대열이 시가행진하는 대목, 최후의 만찬 대목, 윤상원이 고교생과 여성들을 피신시키는 대목, 광주항쟁의 주체세력, 윤상원의 내심 표출 대목, 여학생이 가두선전 하는 대목, 계엄군 노정기 대목, 계엄군이 시민군을 몰살하는 대목

<표> <오월 광주>의 사설 대목 분류

첫 번째 분류에서 5·18민주화운동의 역사적 배경에 대해 설명하였다. 5·18민주화운동의 시작은 1979년 10월 26일로 거슬러 올라갈 수 있다. 그날 저녁에 10년 넘게 정권을 장악한 박정희가 당시 중앙정보부장 김재규에게 피살되었다. 10·26사건 발생 후 당시의 국무총리 최규하가 대통령 권한을 대행하게 되어 12월 6일에 통일주체국민회의에서 제10대 대통령으로 선출되었다. 그러나 최규하 정부가 공식 출범 후 며칠 지나지 않아 12월 12일에 전두환을 비롯한 신군부 세력이 쿠데타로 최규하를 대신하여 실권을 장악하게 되었다.

전두환 등 군사 반란 세력은 자신들의 정권 장악에 걸림돌이 될 수 있는 국민의 민주화 요구를 제압하기 위해 언론과 주요 정보기권을 장악하고, 시위 진압을 위한 '충전훈련'의 훈련 강도도 실전 수준으로 높였다.[7] 1980년 봄부터 군의 쿠데타를 반대하며 민주화 요구하는 민중들이 시위가 벌어지고, 이러한 민주주의 운동이 점점 전국적으로 확산하게 되었다. 1980년 5월 13일부터 서울지역 대학생들은 대규모 항의 가두시위를 거행하기 시작하였다. 5월 15일이 되던 날에 10만여 명의 대학생들이 서울역에 운집함에 따라 이번 시위는 절정에 이르렀다.

5월 16일에는 광주 전남도청 앞 광장에서 대학생과 시민 3만여 명이 운집하며 민주화대성회를 연이어 개최하게 되었다. 이날은 '유신독재로 이어진 18년의 암흑을 민주화의 횃불로 밝히겠다는 의지'가 담겨

6
판소리학회 엮음, 『판소리의 세계』, 문학과지성사. 2000, 350쪽.

7
'충전훈련은 군이 시위를 진압하기 위해 실시하는 공세적인 진압훈련이었다.' 황석영 외, 『죽음을 넘어 시대의 어둠을 넘어』, 창비, 2017, 31-33쪽.

이전의 시위와 달리 횃불 행진으로 진행되었다.[8] 전두환 신군부는 시국을 수습한다는 명목 아래 17일 오후에 1980년 5월 18일 0시 기준으로 비상계엄을 전국적으로 확대를 선언하였다. 그날 밤에 공수부대도 광주로 향해 출발하여 18일 새벽에 광주에 도착하였다. 다음 '오월 광주 심화 대목'의 사설을 통해 공수부대가 무자비하게 폭행하는 모습을 확인할 수 있다.

얼룩무늬 공수부대 전남대학 진주하야 교문을 봉쇄하고 출입을 통제할제 학생들 모여들어 "계엄령 해제하라" "휴교령 철회하라" 공수부대 중대장이 갑자기 뛰쳐나와 "돌격 앞으로!" 공수대원들 우르르르르 쇠심이 박힌 곤봉으로 마구 후려갈기니 학생들 도망치며 "시내로 나가자" 광주신역 광장에서 전열을 정비하여 금남로로 나아간다 대기하던 전투경찰 평 평 최루탄을 쏘아내니 시위대 흩어지며 "시민 여러분 동참합시다. 군인들이 쿠테타를 일으켰소." 경찰과 숨바꼭질 계속할제, 그때여 군용트럭 10여 대가 맹속력으로 당도 계엄군들 내리는데 공수단이 분명쿠나. 한 손에는 대검 들고 또 한 손에는 곤봉 들고 살기등등 표적을 정해서 끝까지 추적 닥치는 대로 패고 찌르는디, …(후략)… "허허 이게 웬짓이여. 이것이 웬짓이여. 학생들이 무슨 죄라 광주시민이 무슨 죄라 이리도 무자비허여" …(후략)…[9]

8
강혜경, 「창작 판소리 <오월 광주> 연구」, 고려대학교 박사학위논문, 2021, 64-67쪽.

9
정성훈 채록, 임진택 창, '오월광주 심화 대목', <오월 광주>

사성 대목에서 의태어 '우르르르'와 의성어 '평평'을 표현함으로써 학생 시위대를 진압하는 계엄군의 무자비한 폭행을 생동감 있게 재현하였다. 그리고 "허허 이게 웬짓이여. 이것이 웬짓이여. 학생들이 무슨 죄라 광주시민이 무슨 죄라"라는 물음을 통해 계엄군의 횡포와 학생, 시민의 억울함을 강조하였다. 여기서 주목할 만한 것은 민주화운동의 초기에 학생들은 항쟁의 주체세력이라는 것이다. 계엄령 해제를 요구하는 학생들은 무력 진압에 굴하지 않으며 시민들에게 시위에 동참하기를 호소하기도 하였다. 계엄군과 학생들을 중심으로 한 시위대의 저항에서 학생뿐만 아니라 적지 않은 무고한 시민들도 계엄군의 폭행을 당했다. 이는 항쟁 주체세력이 시민 전 계층으로 확장되는 것을 암시하였다.

두 번째 분류에서 광주시민이 계엄군의 만행에 대항하기 위해 시위공동체가 형성되어 도청을 탈환하는 과정을 전개하였다. 계엄군의 무차별 폭행에 대한 분노 속에서 19일부터 더 많은 시민이 나와 시위대열에 참여하기 시작하면서 시민들과 계엄군 간에 더 강력한 충돌이 일어났다. 그때 계엄군은 시위대를 진압하기 위해 최루탄을 발사할 뿐만 아니라 총, 대검까지 동원하였다. 싸움에서 일부 시민은 폭행당해 상처를 입게 되었다. 그때 공수 대원의 무기에 맞아 죽은 자도 많았다. '시민들이 시내로 몰려나오는 대목'으로 전 시민이 항쟁에 참여한다는 것을 알 수 있다.

이튿날 아침이 되자 시민들이 꾸역꾸역 시내로 몰려나오는데 택시기사들은 특히 분개하여 때로 대척을 세우기로 의논들을 허고, 시장 상인들은 "이판에 무슨 장사냐" 허면서 밖으로 나오고, 가게 점원, 요식업소의 종업원들도 "시방 우리가 이러고 있을 때냐" 하면서 밖으로 나오고, 회사원들도 일이 손에 안 잡히니 공연히 밖으로 나오고, 가정주부·할머니들도 "아, 시방 일이 워터케 들아간다냐" 안달이 나서 밖으로 나오고, 술집아가씨들도 "아, 시방 먼 일이 났는가본디 우리라고 가만히 있을 수 있냐. 시간도 남는디." 덩달아 나오니 전시민 전계층이 몽땅 거리로 쏟아져 나왔것다.[10]

사설 대목에서 "이판에 무슨 장사냐", "시방 우리가 이러고 있을 때냐", "아, 시방 일이 워터케 들아간다냐", "아, 시방 먼 일이 났는가 본디 우리라고 가만히 있을 수 있냐. 시간도 남는디" 등 시장 상인, 가게 점원, 요식업소 종업원, 회사원, 가정주부와 할머니, 술집 아가씨의 발언을 직접 인용하여 진술하였다. 광주시민들은 계엄군의 무차별 폭행에 대해 분노하여 공감대를 형성하였다. 그래서 그들은 모두 자기의 일을 제쳐두고 폭력 진압에 저항하러 시내로 나왔다. 다시 말해, 시민들의 울분과 분노가 한층 심화함에 따라 학생 시위에서 시민 전 계층의 시위로 확대되었다. 특히, 여기서 술집 아가씨가 항쟁에 참여하는 것은 유념해야 할 점이다.

10
정성훈 채록, 임진택 창,
'시민들이 시내로 몰려나오는
대목', <오월 광주>

이때여 광주시내 병원이란 병원은 모다 피가
모자란 바람에, 헌혈을 하려는 사람들이 줄을 지어
늘어섰는디. 저십자 변원에는 원 아가씨들이 단체로
몰려와 갖꼬 헌혈을 자청헐제, 속눈썹에 입술연지
매니큐어 보아하니 황금동 술집 아가씨들이지라…
(중략)…병원당국서는 난처하여 "호의는 감사허제마는
보건위생상 쬐끔 곤란하고만요" 아가씨들 화를 내여
눈썹을 치켜뜨고 입을 뽀로통해 갖고는 "아니 시방 이
급헌 참에 보건위상이 다 뭐시다요? 아 우리는 광주
시민 아니다요? 우리 피도 깨끗허요, 검사 해볼라믄
해보시오"들이 대니 별 수 없이 헌혈을 받았것다. 사용
여부는 확인이 안되았어도. 어떻틍 문자 그대로 피로
맺어진 공동체라!**[11]**

위 사설 대목에서 병원 직원과 술집 아가씨들 간의
대화를 통해서 골계적인 요소가 드러난다. 술집 아가씨
들은 헌혈하려고 하는데 병원 직원으로부터 몸이
건강한지 의심받았다. 그런데 그녀들은 차별받았더라도
헌혈을 포기하지 않았다. 오히려 광주시민으로서의
신분을 강조하면서 한몫하려는 의지를 보였다. 시민들이
자발적 참여로 피를 나눔으로써 이른바 '헌혈의 공동체'
가 이루어졌다.

세 번째 분류에서 투쟁파와 투항파의 대립 양상을
보였다. 항쟁 운동의 전개되면서 외부 계엄군의 압력,
그리고 시위대열 내부 입장의 차이로 인해 시위대열은

11
정성훈 채록, 임진택 창, '술집
아가씨들도 헌혈하는 대목',
<오월 광주>

투쟁파와 투항파로 분열하게 되었다. 투쟁파와 투항파는 계엄군에게 무기 반납 여부에 대한 합의가 실패하였다. 다음 '고교생이 투항파 청년을 조롱하는 대목'을 통해 투항파에 대한 비판을 짐작할 수 있다.

이날도 투항파의 무기회수 노력이 집요하게 노력되는데, 웬 교련복을 입은 고등학생 녀석 하나가 M1총을 들고 떠억 허니 나타나니, 무기를 회수하던 청년이 좋아라고 "어이 동상, 어서 오소. 아 무기 반납하러 오는가?" "성님, 내가 시방 허다가 M1총을 하나 얻었는지 이것 어떻게 쏘아야 나가는거요?" "아니 동상 무기를 반납헐 사람이 총 쏘는 법은 알아서 뭣혀?" "아니 시방 계엄군이 언제 들이닥칠지 모르는디 무기를 반납을 허요? 그렇게 이렇게 쏘면 나가요?" "아니 동상 총구를 위로 혀. 아니 성님." "앗따 겁도 많소. 그렇게 겁이 많응께 무기나 거둬들이고 있제. 나는 반납 못헝께 그리 아쇼 잉." 여유 작작 돌아갔겄다.[12]

이 대목에서 고등학교 학생과 투항파 청년 간 대화하는 장면을 그렸다. 투항파 청년이 총 쏘는 방법을 물어보기 위해 온 고등학생을 무기를 반납하러 온 사람으로 착각하였다. 고교생은 계엄군이 언제 들이닥칠지 모르는 상황에서 무기 반납하지 않겠다는 뜻을 확고히 밝혔다. 다시 말해, 투쟁파는 계엄군의 무자비한 만행을 지켜볼 수 없으므로 총을 들 수밖에 없었다.

12
정성훈 채록, 임진택 창,
'고교생이 투항파 청년을
조롱하는 대목', <오월 광주>

고등학생의 입으로 나온 말로 끝까지 계엄군에게 저항하겠다는 투쟁파의 결심을 표출하는 동시에 투항파를 비판하였다. 그리고 이를 통해 시민의 안전을 위협하는 계엄군의 폭력성과 국가폭력을 당한 광주시민의 정부에 대한 불안감으로 가득 찬 모습을 확인할 수 있다.

네 번째 분류에서 도청을 사수하던 항쟁 지도부의 장렬한 죽음까지 이르는 과정을 서술하였다. 계엄군의 학살을 당한 시민군의 비장한 죽음은 5·18민주화운동의 비극성이 드러낸다. 이 부분에서 임진택은 윤상원을 중심인물로 선정하였다. 윤상원은 임진택의 친구로 1980년 5월 27일에 도청을 사수하다가 목숨을 잃었다. 다음 '윤상원이 고교생과 영성들을 피신시키는 대목'

식사를 마친 후 윤상원 일어나며 "이제 최후의 결전의 시기가 왔소. 어린 여교생 고교생들과 여성들은 밖으로 파하시오" 어떤 고등학생 하나 울부짖으며 "우리 누나가 공수놈들한테 무자비하게 학살되었소. 원수를 갚고야 말 터이나 부디 함께 있게 해주시오." 윤상원 기가 막혀 "너의 심정은 알겠다만 살아남아 증언할 사람도 있어야 하지 않겠느냐, 너는 꼭 살아서 너의 형들이 어떻게 장렬히 죽어갔는지를 후세 만대에 전해다오"[13]

위 사설 대목에서 윤상원이 고교생과 여성들의 피신을 권유하는 것을 통해 그는 이미 항쟁의 패배를 예감했다는 것을 추측하게 되었다. 윤상원을 중심인물로

13
정성훈 채록, 임진택 창.
'윤상원이 고교생과 영성들을 피신시키는 대목', <오월 광주>

선정한 이유는 다름이 아니라 도청 사수를 결심한
윤상원의 모습을 통해 항쟁 지도부로서의 결단과
인간적인 고뇌를 잘 형상화할 수 있기 때문이다.[14]
그리고, "너는 꼭 살아서 너의 형들이 어떻게 장렬히
죽어갔는지를 후세 만대에 전해다오"라는 말에는
윤상원이 항쟁의 진상을 후세들에 알리게 되었으면
하는 바람도 담겨 있다.

갈 사람은 가고 남은 사람만 남았겠다. 남은 사람들
면모를 불작시면 거의 다 일용노동자에 소상인 종업원
등 근로빈민층이 주력이라. 광주항쟁의 주체 세력은
학생에서 시민으로 그리고 노동민중으로 옮겨갔것다.[15]

'광주항쟁의 주체세력 대목'은 열흘 동안 항쟁에서
주체세력은 학생에서 시민으로, 노동 민중으로
옮겼다는 사실을 밝혔다. 전 계층 시민들이 계엄군과의
대결로 시위대가 민주화를 요구하는 항쟁을 전개하였다.
시민군과 계엄군의 치열한 교전 끝에 27일에 계엄군이
시민군을 경고하여 총탄 소리를 기점으로 도청 진입을
시도하였다. 난사와 수류탄 투척 등으로 인해 많은
시민군이 몰살당했다. 결국에 계엄군이 도청을 점령하여
광주항쟁은 시민군의 패배로 종결되었다.

<오월 광주>는 본격적인 완판 창작판소리[16]로서
5·18민주화운동에 대한 기록이며 증언이다. 임진택은
청중들의 감정을 유도하기 위해 <오월 광주>를

14
판소리학회 엮음, 앞의 책,
351쪽.

15
정성훈 채록, 임진택 창,
'광주항쟁의 주체세력 대목',
<오월 광주>

16
"'본격적'이라는 표현을 쓰는
이유는 어설프게 판소리적인
것을 삽입하거나 변형하는
것이 아니라 판소리 그 자체의
구조와 틀거리를 정통적인
방식 그대로 재창조한다는
의미에서이다. 그리고
'완판'이라는 것은 단형의
토막소리가 아닌 완결된
이야기 줄거리를 갖고 있다는
의미에서이다." 임진택, 앞의
책, 248쪽.

연행하는 데 걸개그림을 뒷배경으로 사용하고 독립된 노래를 삽입하였지만 이러한 새롭게 도입된 형식보다는 청중들이 공감되는 것은 사설이다. 현대인들이 쉽게 이해하는 말로 된 사설을 통해 5·18민주화운동에서 계엄군의 만행, 그리고 반독재 민주화 투쟁을 위해 광주민중들의 노력을 다시 확인할 수 있다. 광주민중들의 항쟁 정신은 오늘날까지도 사회의 진보를 촉진하는 힘이 될 것이다.

말의 기억
광주일상어 인문교양 에세이2

초판
2023년 12월 7일

지은이
조경순
이준환
김동근
신해진
정명중
조태성
이동순
박세인
최창근
전동진
이송희
강영훈
미즈카이 유카리
전두영
노상인
조하진
손효원

펴낸곳
(재)광주문화재단
61636 광주광역시 남구 천변좌로
338번길 7(구 농) 지역콘텐츠팀
T. 062-670-7492
www.gjcf.or.kr

디자인
파종모종

인쇄제작
종로인쇄

ISBN 979-11-985547-1-0(03810)
값 15,000원